D1301799

La sérénité

Pierre Talec, directeur de la Pastorale du Tourisme à Paris. Prédicateur à la Télévision française, conférencier et animateur de sessions en France et à l'étranger, il est l'auteur de nombreux ouvrages de théologie et de spiritualité dont les plus connus sont *Les choses de la foi* et *Accueillir la vie, les autres, moi, Dieu*.

PIERRE TALEC

La sérénité

CENTURION/NOVALIS

ISBN 2-227-31583-0
© Éditions du Centurion, 1993
22, cours Albert-Iᵉʳ, 75008 Paris

Pour Novalis
ISBN 2 89088 595 X
Dépôts légaux : 1ᵉʳ trimestre 1993
Bibliothèque nationale du Québec
Bibliothèque nationale du Canada

En hommage à
Geneviève Terrat

« La nuit où tu navigues n'aura-t-elle point
son île, son rivage?
Qui donc en toi toujours s'aliène et se renie? »

Saint-John Perse

LAISSEZ VENIR A VOUS... LES MOTS!

• Jamais la sérénité ne m'est apparue autant d'actualité : guerres et famines; violences et insécurité; angoisse et dépression; l'absurde et l'ennui; souffrance et solitude. Trop longue litanie de la misère humaine qui n'en finit pas!

• Il faut oser aussi parler de Paix et Tranquillité, Poésie du monde, Joie et Tendresse. Ces mots signes s'harmonisent sur la palette de l'espérance pour suggérer, dans une première esquisse, ce qu'est la sérénité : impression d'ensemble, coloration de notre paysage intérieur, plutôt dans les teintes pastel que dans les tons crus, tonalités atténuées de l'heure frontalière avec la nuit, quand la naissance du jour vous fait part de la douceur du silence.

• Il faut bien regarder : Gratuité, Sagesse, Fidélité, Amour et Beauté, d'autres mots encore qui font rêver, se disposent sur cette toile de fond, porteurs de la grâce et des exigences de la sérénité. Ils nous invitent à bien mener notre barque dans la traversée de nos jours : combien d'écueils à éviter, de caps à passer, de tempêtes à affronter, d'orages à dépasser, de havres à trouver pour enfin arriver à bon port...

Laissez venir à vous tous ces mots!

7

Paix et tranquillité

Paix après les drames de l'existence. Paix que le marin savoure après le naufrage quand, désespérément assoiffé et que la mort a le goût de sel, il trouve par miracle, sur le rivage inconnu où il débarque, l'aiguade, espace providentiel d'eau douce. Calme de l'âme, telle là-haut la palme bercée dans la fraîcheur d'un soir d'été, et ces lacs noirs de montagne entre les cimes enneigées, et ces bassins de Pékin, eaux étales, reposoirs de lotus. Calme des grands soirs d'été : vous êtes là, sentinelle de la nuit qui n'arrive pas à venir. Mais elle viendra, vous le savez, dans la tiédeur des étoiles dorées. Elles s'allument une à une pour transformer le ciel en un vaste champ de soleils. Dans cette attente des clartés nocturnes, l'éternité se dévoile comme la traversée du temps puisque indéfectiblement demain l'aurore naîtra. La sérénité est tropisme d'éternité. Elle se tourne vers elle, mariant l'espace et le temps, le repos et le mouvement.

Poésie du monde

Je me revois une certaine nuit d'été au Moyen-Orient. Chaude nuit. Impossible de dormir tant la chaleur de la chambre était étouffante. Je m'étais levé, vêtu de solitude, pour jouir du ciel étoilé, me laisser envelopper de sa volupté, bercer par toutes les sonorités feutrées, mêlées à des parfums insoupçonnés, me laisser embraser par son silence. Je restais là en dehors de la conscience du temps, à regarder fixement la mer lamée d'or. L'éclat lunaire projetait sur elle une luminosité bleutée qui se répandait sur tout le paysage alentour. C'était comme si ma prétention à m'imaginer mieux voir le jour que la nuit était

8

balayée par la clarté minérale que réfléchissaient les galaxies. D'autres dimensions que celles perçues dans la journée étaient dévoilées, un autre relief apparaissait, comme si des pierres de lune étaient disposées ici et là. Une autre vision du monde était possible.

Chacun a en mémoire ces moments intenses où la sérénité s'immisce dans notre « espace du dedans », selon la belle expression du poète Michaux. Il n'est pas négligeable d'avoir ces instants repères pour raviver en soi la joie quand elle défaille. Pour les uns, c'était peut-être un soir de vacances, dans la contemplation d'un coucher de soleil en montagne. Pour d'autres, le bonheur d'avoir pu vivre avec celui, celle que l'on aime le plus au monde, des heures pleines de nostalgie. Peu importe, l'essentiel est d'avoir des images symboles de la sérénité. Elle est surcroît d'être que l'on acquiert dans une connivence profonde avec le monde, une eau vive que l'on puise à la source primordiale du bonheur d'exister.

Joie

« Pousse des cris de joie! Réjouis-toi! » clame le prophète Sophonie. L'apôtre Paul surenchérit : « En toute circonstance, que votre sérénité soit connue de tous! » Inconscience ou provocation quand on songe à la souffrance du monde? Provocation. Dieu nous appelle à vivre la sérénité non pas comme la récompense d'une vie réussie et facile, mais comme le trésor de sa joie mûrie en nos cœurs, joie que nul ne peut ravir. Sophonie nous assure : « Le Seigneur ton Dieu est en toi. Il aura joie en toi! » La sérénité est le retentissement intime de cette joie de Dieu en nous : un scintillement de l'existence qui intrigue ceux qui nous voient vivre, suscitant en eux cette question : « Mais d'où leur vient leur secret, à ceux-là, qui vivent dans la sérénité, car eux aussi ont leurs difficultés? » Paul Claudel écrit dans *Le soulier de satin* : « Mon Dieu, vous m'avez donné ce pouvoir que tous ceux qui me regardent aient envie de chanter. C'est comme si je leur communiquais la mesure tout bas. » Tout bas! La joie de vivre ne se vit pas à grand fracas. Elle est intérieure. Rayonner, quelle que soit la dureté du destin, n'est-ce pas un service à rendre à ceux qui ont de la peine à vivre dans la sérénité?

Tendresse

Tendresse! On hésite à prononcer ce mot tant il est galvaudé par les tenanciers de bonheur à la petite semaine, les marchands d'émotion à la télé qui manipulent leur auditoire. Retrouvons sa pureté. La tendresse est sérénité dans l'amour : son authenticité, sa fraîcheur, sa fine pointe. Elle est à l'amour ce que le parfum est à la rose : subtile, imprenable; cet « inexplicable » qui s'appelle le charme, impalpable; ce qui est donné gratuitement, fait de ces riens et de ce tout gracieux qui font que les amoureux tombent amoureux.

Tendresse! Amour câlin. Amour caresse. Amour de la mère penchée sur le berceau. Amour de ces jeunes pères que l'on voit dans la rue si fiers de porter leur petit serré sur la poitrine...

Tendresse! Comment traduire son indicible à ceux que nous aimons le plus? On la dit avec des fleurs et des mots doux. On cherche alors dans son jardin secret. Avouez qu'on est un peu bête : on ne trouve que des noms de légumes et d'animaux : Mon chou, mon poussin, mon lapin, ma poule, ma biche, ma puce! Tout le bestiaire de l'amour y passe! Rions. Mais c'est sérieux.

Tendresse! Notre malhabileté à la manifester signifie ce qu'elle exprime de l'amour : sa délicatesse. La tendresse, c'est l'amour vulnérable.

Tendresse! Elle se chuchote par ces diminutifs adorables, ces phrases banales de cartes postales que l'on s'envoie simplement pour dire : « Bien arrivé. Il fait beau. Y'a du soleil. » Elle ne tient parfois qu'à un fil, ces coups de téléphone que l'on passe pour la seule joie de demander des nouvelles. Ce « Comment vas-tu? », c'est : « Je pense à toi. Tu existes pour moi, parce que c'est toi. Je suis là... »

Tendresse! « Parlez-moi d'amour, redites-moi des choses tendres. » Belle chanson française! Pourquoi chacun ne se dirait-il pas aussi en lui-même ce refrain qui fait la joie des Québécois : « Gens du pays, c'est votre tour de vous laisser parler d'amour... » C'est ton tour de te laisser parler de sérénité!

Première partie

TROIS RÉCIFS

« An neb ne zent ket
ouz ar stur
ouz ar garreg
a ralo sur »

« Celui qui n'obéit pas à la barre obéira
sûrement aux rochers... »

Proverbe breton

SAVOIR NAVIGUER

Tout au long de la navigation de notre existence, la sérénité doit esquiver de nombreux récifs. J'en retiendrai trois de taille : le poids de la quotidienneté; les conflits qui nous déchirent; la souffrance qui nous accable. Bien sûr, d'autres écueils existent sur lesquels bute la sérénité, par exemple la culpabilité qui paralyse la conscience, la mauvaise foi qui ruine toute possibilité de dialogue, la vulgarité qui encrasse le climat social.

Pour éviter ces embûches, l'art de mener sereinement sa barque suppose un savoir-naviguer que je résumerai en trois mots : regarder-affronter-dépasser. Trois mots indissociables comme trois points de repère à bien aligner dans la ligne de mire afin de voir loin et de se « marquer au près »...

Regarder

« C'est de la navigation que nous est venue cette idée paradoxale que pour savoir où l'on est, il faut regarder le ciel » (Alain, *Propos,* II). Pour celui qui veut vivre dans la sérénité, regarder c'est peut-être d'abord cela : acquérir une hauteur de vue telle qu'on ne se laisse pas impressionner par l'immédiateté des choses qui nous assaillent. Regarder, c'est prendre la distance nécessaire pour ne pas perdre de vue, au milieu de tant de choses qui nous occupent et préoccupent, le sens de notre existence. Joseph Folliet recommandait avec humour de ne pas confondre une taupinière avec une montagne. Combien de gens se polarisent sur des données périphériques de leur existence, se perdent dans des circonvolutions parce qu'ils font un monde de rien.

La nuance entre voir et regarder réside en ceci : voir suppose que l'on embrasse d'un coup d'œil plus ou moins distrait ce qui s'impose à notre champ de vision. Regarder, c'est poser son regard. Un regard réfléchi, contemplatif, afin de discerner ce que recèle toute chose, ce que révèle tout être. Regard d'amour qui donne une autre vision des choses. Ce regard que le Christ posa sur le jeune homme riche et qui le bouleversa.

Savoir regarder n'est pas évident. De même qu'écouter est davantage qu'entendre, regarder suppose une attention supérieure à celle de voir. Le comportement des touristes est à cet égard révélateur. Certains, à la descente du car, se précipitent sur leur appareil photo pour « prendre » ce qu'ils voient alors qu'ils n'ont pas pris le temps de regarder, d'observer, d'admirer. Je suis frappé, quand je fais visiter Notre-Dame de Paris, de constater combien de touristes ne savent pas regarder l'essentiel. Ils s'attachent à l'anecdotique, s'intéressent aux chimères, demandent combien mesurent les tours... Peu se laissent envoûter par l'espace, le volume, les formes, les lignes, les perspectives, en somme la beauté de ce magnifique vaisseau. Regarder requiert que l'on prenne le temps d'admirer en silence. Même impression quand je visite une exposition

16

de peinture : on peut tout voir mais non pas tout regarder, à moins qu'en passant on jette un regard sur les toiles comme on jette un kleenex. Puisque le seuil d'attention de l'esprit humain ne permet pas d'admirer, d'assimiler des tonnes de chefs-d'œuvre, raison de plus pour faire des choix, aller à l'essentiel.

Affronter

J'entends par là réagir au plan de la sensibilité quand elle devient débordante et qu'elle risque d'accaparer la faculté de juger. Affronter, c'est être alors capable d'analyser ce que nous ressentons affectivement pour être plus à même de réagir effectivement, c'est se mettre en position de combat, de *match,* mot anglais qui précisément signifie entrer en compétition. Comme on aime le dire aujourd'hui, affronter c'est adopter une stratégie. Encore faut-il pouvoir parvenir au but que l'on se fixe, dépasser les obstacles...

Dépasser

Dépasser, c'est vaincre le sommet. Mais une fois atteint le point culminant de nos possibilités humaines, l'Évangile nous propose d'aller encore plus loin, de monter toujours plus haut, de consentir à un au-delà de la raison pour vivre dans la foi. Avec elle, on n'a jamais fini de « s'élever ». Ce qui peut-être exprime le mieux notre ascension de chaque jour, c'est le mot : surmonter.

Regarder – Affronter – Dépasser

Une image récapitule bien ce triple mouvement à opérer pour sauvegarder la sérénité : le mur du combattant! Il fait partie des épreuves sportives que toute jeune recrue du service militaire doit affronter pendant ses classes. Ce mur, de deux mètres de haut, se situe sur un parcours jalonné d'obstacles à franchir, casqué et armé, en courant dans le meilleur temps. Sauter le mur requiert une technique d'approche : d'abord le regarder. Ne pas arriver comme un fou. Ralentir la course au bon moment pour mieux reprendre son élan, donc évaluer la distance pour affronter l'obstacle dans les meilleures conditions, à savoir lever l'une des jambes suffisamment haut pour placer le pied à la verticale. Il faut alors s'accrocher de sorte que la traction des bras permette d'aborder la partie horizontale du sommet du mur. Là, ne pas attendre que le vertige vous prenne pour sauter à terre, finalement, dépasser la difficulté. Le dépassement est ce moment délicat, imperceptible, où après avoir été dans l'envol du saut entre terre et ciel, on « se ramasse » sur le sol.

Laissez-vous entraîner, vous verrez Dame Sérénité prendre le gouvernail de votre vie. Si vous entendez sa voix, sachez l'accueillir, elle deviendra votre capitaine. Elle sera près de vous et vous près d'elle. Elle ne demande qu'à s'embarquer avec vous. Ne soyez pas étonné. Elle est à quai. Elle s'est annoncée depuis longtemps : « Je ferai de votre embarcation ma demeure... »

LA QUOTIDIENNETÉ
A la recherche du temps de vivre

Les jours se traînent...

La jouissance de moments paradisiaques — tels que je viens de les évoquer à propos de ces nuits claires d'Orient ou d'autres — pourrait donner à penser que la sérénité est un état rare, sorte « d'extase » au sens étymologique du terme, une sortie de soi-même où l'on fait abstraction de tout souci. Il n'en est rien. La sérénité n'est ni une parenthèse vite oubliée, ni un luxe pour gens sans problèmes. On ne saurait la confondre avec une insouciance de riches barricadés dans leur insensibilité aux malheurs du monde. Sur le chemin de chaque destinée, il nous faut trouver un équilibre de vie, pour faire face aux grandes épreuves de l'existence, mais aussi à la banalité de chaque jour. La morosité est le chiendent de la quotidienneté. Ainsi parle Job, dans la Bible :

« Le temps qui est donné à l'homme pour vivre sur terre n'est-il pas une corvée?

19

Ses journées se passent comme des journées de saisonniers qui attendent leur paye à la fin de la journée.
Des mois de néant sont mon partage.
Le soir, à peine couché, je me dis : demain matin il faut que je me lève... Le soir n'en finit pas d'arriver... »

Jb 7, 1-4 et 17

On pouvait voir à une époque, affiché sur toutes les colonnes Morris de Paris, le titre de cette pièce de théâtre, significatif de l'ennui de vivre : *Les jours se traînent... les nuits aussi.* Malheureusement, pour beaucoup ce n'est pas de la comédie, mais la réalité de la monotonie quotidienne. Où trouver la sérénité dans une vie grignotée par les préoccupations immédiates?

« Quelle est cette langueur qui pénètre mon cœur? » disait Verlaine. Oui, pourquoi certains jours — tandis que tout ne va pas si mal que ça — avons-nous le spleen sans raison apparente, sinon une insatisfaction profonde creusée par le décalage plus ou moins conscient entre la soif d'absolu que nous éprouvons confusément et l'inanité des choses humaines dans lesquelles nous pataugeons? Hegel appelle ce mal-être « la conscience malheureuse ». Traduisez : le fossé entre ce que nous sommes réellement, ce que nous vivons concrètement, et ce à quoi nous aspirons pour vivre dans la sérénité. Ce qui est exprimé ici en termes philosophiques, combien de gens le ressentent confusément sans pouvoir se le formuler clairement, trop pris qu'ils sont par l'immédiateté des préoccupations de la vie.

REGARDER LA VIE COMME UN DON

« Le temps intérieur »

La sérénité n'est pas le privilège de vies exceptionnelles. A chacun d'aller loin en lui pour la découvrir plantée au creux de sa destinée comme un palmier dans une oasis, symbole de la luxuriance de la vie dans l'aridité de nos déserts. Non pas ces grands palmiers appelés *Phœnix*, aux palmes pennées et opulentes, car la sérénité est modestie. Les petits, appelés *Chamærops humilis,* vivant de préférence sous une lumière tamisée, évoquent mieux, avec leurs multiples drageons, ce que sont ces surgeons des petites joies de la terre qui ravivent la sérénité.

Regardez bien! La sérénité vit cachée au creux de nos journées, faisant corps avec elles comme font corps avec la nature les animaux qui se confondent avec les couleurs du milieu ambiant, tel l'écureuil dans un pin ou l'orvet glissant dans l'herbe. Savoir regarder est un art, l'art d'accueillir la vie quotidienne comme un don. Un cadeau que le Créateur nous fait chaque matin, même si la lumière du jour paraît dans la grisaille des matins sales d'hiver, là où le devoir nous appelle...

> « Comment peux-tu te soutenir
> Ô ma vie sans vivre où tu vis? »

Ce sain réalisme, que chante Jean de la Croix dans son cantique spirituel (strophe 8), nous invite à découvrir dans les petites choses de la vie, ici et maintenant, ce qu'est la simplicité d'un bonheur possible. La sérénité se

21

fait jour en nous par cette capacité d'admirer, de pouvoir faire les gestes élémentaires de l'existence : voir, écouter, marcher... Qu'il suffise d'être malade, handicapé, pour apprécier ce qui paraît si naturel et normal! Humer, par exemple, l'odeur du café et du pain grillé au lever. Une amie, dans une maison de retraite très confortable, me disait : « Ici, tout est parfait! Nous sommes servies comme des princesses! Vous ne le croiriez pas, ce qui me manque le plus, c'est de faire moi-même mon café le matin, prendre mon petit déjeuner à mon rythme! C'est le meilleur moment de la journée! » C'est vrai, la répétition des mêmes gestes peut engendrer une routine pesante, mais aussi rehausser ces petits plaisirs que l'on se donne « à la carte ».

La vie est pleine de surprises pour celui qui sait ouvrir les yeux. La sérénité se loge dans celles que l'on sait accueillir, que l'on sait faire à autrui, dont seule l'amitié a le secret. Il y a plus de joie, dit-on, à donner qu'à recevoir. La sérénité se glisse dans la délicatesse des gestes gratuits que l'on pose pour faire plaisir : depuis le coup de téléphone sans autre raison que de demander des nouvelles, jusqu'à un petit mot envoyé rapidement.

La sérénité est fille de la disponibilité. Comme un ciel bleu devient peu à peu nuageux, la sérénité se couvre en moi de nuages lorsque, saturé d'obligations, j'ai l'impression que le temps d'aimer m'est volé, l'impression de ne pas respecter l'urgence d'aimer, de passer à côté de ce qui toujours a été pour moi primordial, la priorité aux personnes. En pareil cas, comment ne pas se laisser entamer par la culpabilité qui tue la sérénité? Raviver en soi l'humilité d'être limité, se savoir submergé mais demeurer intérieurement insubmersible, tel le navigateur à la barre de son voilier. Quand dans la tempête le pont

22

est battu par des paquets de mer, il sait que son bateau, bout au vent, fera front à l'océan.

La sérénité s'entretient par ces petits extra que l'on s'accorde en se donnant des temps de répit, temps de pause où l'on sait couper, commencer par le reste. Temps d'émerveillement. Pourquoi en ces moments de bleu en nos vies ne pas se laisser vivre? C'est bon de se laisser aller! Non pas au sens de « débraillé »; mais consentir à débrayer. Car dans la lumière pascale, toute lueur de Résurrection passe par un point mort qui devient « point de vie »! Je veux dire occasion de faire le point sur sa vie dans la liberté d'esprit que prodiguent soudain quelques minutes imprévisibles de calme. Pourquoi ne pas se laisser conduire, ainsi que le chante le Psaume 22, à ces « eaux tranquilles où l'on refait son âme »? Encore faut-il le vouloir! La sérénité, elle aussi, est question d'organisation de son intérieur. Question de détermination. Alors, à chacun de saisir l'embellie lorsqu'elle se présente au détour d'une rue, saisir l'intense de l'instant. Saisir le temps du « temps intérieur », comme dit Joyce. Saisir dans un grand regard circulaire la beauté du monde.

De temps en temps...

Un certain dimanche de fin septembre, après les messes matinales, je prenais l'air. L'air de l'action de grâces, place des Vosges à Paris. Les quatre fontaines du square Louis-XIII, trempées de soleil, s'en donnaient à cœur joie dans les arabesques de leurs jets d'eau. Sur le boulevard Beaumarchais, les marronniers quasi décharnés faisaient déjà leur deuil de l'été. Mais ici, dans ce jardin à la française, les tilleuls résistaient, semblant se dire l'un à l'autre dans leur alignement bien sage : quelle belle arrière-saison!

Toutefois, le vert qui virait au jaune ne trompait pas. La tiédeur du soleil annonçait l'ombre de la mort. La mort! Comme toujours en automne, je la sens venir, je la ressens davantage avant qu'elle n'arrive vraiment. Une fois l'hiver installé, je m'y fais. Je me réchauffe avec elle.

Tout est calme ici, apaisant. Ce spectre de la mort ne semble pas enlever aux promeneurs du dimanche l'impression — l'illusion — de la douceur de vivre. Elle se répand comme un parfum d'Orient dans cette oasis de la ville. Charme de flâner. Euphorie du moment avec ces traces d'éternité que paradoxalement l'éphémère porte en lui, sans doute parce que la fugacité du présent entraîne avec elle un mouvement de la conscience où l'espace et le temps reviennent au même. Les attardés de la matinée dégustent leur petit déjeuner, attablés aux terrasses des cafés installées dans ce cloître que dessinent les galeries des maisons de la célèbre place Carrée. Les commentaires vont bon train. Ici passe une de ces élégantes du Marais, pimpante, aux pommettes roses, avec un ravissant bitos « comme dans le temps ». Là, un cortège de voitures enrubannées comme des paquets de bonbons klaxonne pour annoncer à tout le quartier un mariage israélite. Plus loin, des touristes ébahis, plutôt que d'écouter les discours du guide sur la maison de Victor Hugo, se laissent prendre par les romances de deux joueurs de hautbois qui enchantent la place. C'est comme si la vie, de temps en temps, consentait à arrêter ses vacheries.

AFFRONTER LE QUOTIDIEN

Du travail au loisir

Si l'on éprouve de manière plus intense, à certains moments privilégiés, cet état de grâce de la sérénité, on ne saurait pour autant la réduire à n'être qu'un état d'âme. Elle est avant tout un état d'esprit, permanence d'être. Ce que les théologiens appellent un « habitus », une habitude qui nous marque dans l'être, un caractère devenu seconde nature. La sérénité au jour le jour ne peut s'épanouir qu'inscrite dans un projet de vie, une orientation fondamentale qui puisse galvaniser nos énergies, nous donner l'opiniâtreté de consentir aux sacrifices qui s'imposent pour mener notre existence dans la ligne du choix de vie que l'on a fait. Encore faut-il choisir. Affronter, c'est refuser de se conduire en assisté. N'attendez pas qu'une idéologie, une religion, la société, fasse à votre place ce que vous pouvez faire. Ce qui est en votre pouvoir, faites-le, et cessez de mettre sur le dos des autres ce que vous pourriez faire vous-même.

« Quoi que vous fassiez, faites-le pour la gloire de Dieu », dit saint Paul. Transposons : « Quoi que vous fassiez, faites-le dans l'amour et vous trouverez la sérénité. » L'amour qui transfigure toute chose est toujours en notre pouvoir. Quand on déposera là-haut le compte d'exploitation de toutes nos années sur terre, que restera-t-il de nos tracas, sinon les traces d'amour qui auront marqué nos jours? Ce n'est pas exclusivement le contenu de ce que l'on fait, de ce que l'on a à vivre, qui fait que la vie est bien remplie mais la fulgurance d'un amour

25

qui donne à toute présence humaine, à toute action, une tonalité de sérénité.

Prises isolément, nos journées peuvent paraître insignifiantes. Le sens de nos existences ne peut s'apprécier que dans l'étalement de la durée, dans un regard d'ensemble, dans la joie de se savoir un maillon d'amour dans l'immense chaîne de solidarité du monde où tant de belles et grandes choses se vivent. Voilà ce que je me disais un certain soir. Le soleil ce jour-là se couchait sur l'Étoile rouge de Belgrade et l'OM de Marseille. Et par surcroît, Roland-Garros! Télés et radios ne parlaient que de cela : elles nous apprenaient que le Président de la République avait interrompu son entretien avec le Chancelier d'Allemagne et que l'Assemblée nationale avait suspendu sa séance pour... s'asseoir devant le dieu Télé. Toutes affaires cessantes, l'Europe était immobilisée. Et moi, je revoyais ma journée au regard du salut du monde. Qu'avais-je fait de si extraordinaire? J'ai d'abord traversé tout Paris pour aller voir à l'hôpital une malade prostrée sur sa couche de douleur, dans le désespoir d'un acharnement thérapeutique inutile. Sous le coup de cette souffrance à vous déchirer l'âme, j'ai cavalé rejoindre six gamins de 4e, sympathiques en diable, qui avaient une réunion de catéchèse. Ils m'ont harcelé, ces enfants au regard sémillant, de questions sur Dieu. « Et pis d'abord, y'a pas de preuve et ça m'apporte rien! La foi, c'est du psychologique... Question d'influences et de milieu. » (Texto!)

Loin des réponses théoriques, j'ai simplement essayé de faire transparaître qui était Dieu dans ma vie. Ils n'avaient pas l'air inintéressés. En tout cas, en les quittant je leur ai dit : « Quand je vois la beauté de vos yeux, votre passion de la vie : il n'y a peut-être pas de preuve convaincante de l'existence de Dieu, mais moi, à vous voir, je suis convaincu qu'il est là avec nous. »

Au regard de ce foin médiatique autour du foot et du tennis, je me disais : que restera-t-il d'essentiel de ma journée dans l'éternité? Ce visage de malade que j'ai vu rempli de larmes et qui sera transfiguré, je l'espère, et ces regards d'enfants qui riront bien de découvrir que Dieu était au bout de leurs questions. C'est peut-être cela la sérénité au quotidien : semer pour l'éternité. Me revenaient alors en mémoire ces paroles de saint Augustin :

« Quoi vivre, mon Dieu,
Toi ma vraie vie, que me dis-tu?
Je monte vers Toi à travers ma soif d'Absolu
Vers Toi avec moi au-delà de moi. »

Je monte à travers quoi? Mon travail et mes loisirs. L'intérêt que l'on trouve à faire son travail aide grandement à supporter le poids du jour. Un travail passionnant, bien fait, accompli comme un service, épanouit. J'insisterai davantage sur le loisir. On ne saurait l'envisager en dehors d'un certain rapport au travail. Si, par utopie, la société renonçait à travailler, elle irait évidemment à sa ruine. Travail et loisir sont complémentaires dans l'œuvre de la création humaine. Le loisir ne peut être le tout de l'homme. Il a cependant valeur en soi, indépendamment du travail. Il est une des façons de vivre à l'image de Dieu, pure gratuité. Notre Dieu n'est pas un fabricant, c'est « le Seigneur de la danse », dit magnifiquement Jurgen Moltmann. Liberté pure, il crée l'homme à son image afin qu'il puisse jouir lui aussi d'une liberté sans autre raison qu'elle-même, et par là accéder à la sérénité.

27

Loisir rime avec se divertir, mais plus essentiellement encore avec désir. Désir de « quelque chose de pur » enfoui en nous, dont parle Bernstein à propos de sa deuxième symphonie, intitulée *L'âge de l'anxiété*. Davantage que la somme des distractions que nous offre notre civilisation des loisirs, le loisir, en tant que valeur, liberté possible de se réaliser en totalité, appelons-le « loisir d'être ». C'est pourquoi il est désormais reconnu comme l'une des expressions de la libération de l'homme accédant à une dignité où il lui devient possible d'être créateur dans le loisir comme dans le labeur. C'est dire que le loisir peut être chemin de sérénité dans la mesure où l'homme poursuit à travers lui une finalité qui le comble. Conception du loisir bien idéale qui s'inscrit dans une vision spiritualiste de l'homme en quête de sens. Heureuse vision de loin! Quand on y regarde de plus près, que voit-on?

Citadin invétéré que je suis, bien qu'amoureux de toutes les mers, parisien comme pas un (bien que breton d'origine comme beaucoup), je voudrais m'en tenir à un phénomène spécifiquement urbain : cette forme de loisir qui ne correspond à aucune activité précise et que, faute de mieux, faute de pouvoir le définir de manière adéquate, j'appellerai : « loisir badaud – plaisir badin ». Loisir qui trouve son plaisir dans l'atmosphère excitante de certains quartiers de grande ville, très typés, exerçant une attraction fascinante. Habitant à la Bastille, je retiendrai ce quartier que j'aime comme étant significatif de ce loisir qui se définit davantage par le climat festif ou fêtard, selon les cas, que par ce qu'on y fait réellement.

Avant tout discours, je vous invite à venir vous y balader, de préférence un soir de fin de semaine, à la belle saison, à l'heure chaude quand ça grouille de monde.

Vous y verrez des terrasses bondées, envahissant les trottoirs de la place nouvellement aménagés; des banlieusards venus s'encanailler dans les bars à vin et boîtes enfumées de la rue de Lappe; des gens de tous poils s'entasser dans les troquets de la rue de la Roquette pour une bonne bouffe entre copains, dite sympa, payée très cher pour ce qu'il y a dans l'assiette; des fanas d'opéra côtoyant des motards en bande avec, sur leur moto qu'ils exhibent, des filles en amazone. Ils sont là, comparant leur engin toujours flambant neuf, briqué, brillant, puissante image roulante d'une puissance de soi fantasmée dans la force d'un moteur. Que font-ils là, apparemment oisifs? Je dis apparemment car, en réalité, ils consomment le rite du rassemblement, de la reconnaissance de soi à travers le groupe repéré auquel ils s'assimilent.

Que se passe-t-il d'extraordinaire? Rien de fantastique! Tout est dans l'atmosphère. « At-mo-sphère! » Les Parisiens viennent chercher à la Bastille ce qu'ils ne trouvent pas ailleurs, par exemple à la tour Eiffel. Froide esplanade pour touristes venant là pour voir et dire qu'ils ont vu, elle n'est que l'emblème de la capitale, sans vie la nuit. La Bastille, elle, demeure un symbole chargé passionnellement qui fait encore exploser en nous ce que les révolutions évoquent. Elle est en prise directe sur la révolution culturelle que nous sommes en train de faire et de vivre. La Bastille? Également rien de comparable avec Pigalle livré au « sex-tourisme », ou même avec Beaubourg, accaparé par les jeunes « sac à dos » débarquant du monde entier et la faune qu'ils véhiculent. Bien sûr, la Bastille, elle aussi, est hantée par des touristes, mais des touristes désireux de se mêler aux Parisiens pour vivre ce qu'ils vivent.

Mais que vivent-ils? La jouissance obscure d'être pris

29

dans le flux et le reflux des passants, jeunes surtout, qui boivent un pot, traînent, rêvent, flânent, rient, se sentent importants dans ce lieu en vogue, à la fois snob et « popu ». Le plaisir de se sentir exister intensément dans ce lieu exceptionnel, comme s'il rendait exceptionnels ceux qui le fréquentent! Oui, le plaisir de savourer le moment d'un vécu vibrant (c'est bien là une des caractéristiques de notre époque médiatique sous l'empire de l'émotionnel). Évidemment, le prestige du nouvel Opéra n'est pas pour rien dans le caractère hyperbranché de cette place, devenue parvis du temple d'une nouvelle culture, sur laquelle veille le *Génie* de la colonne de Juillet. Des badauds sont assis sur les marches de l'Opéra pour assister à une autre représentation que celle donnée dans la salle par les divas. Le spectacle est dans la rue.

La foule est le tableau de fond de la théâtralité indispensable pour que le rite de la « frénésie ponctuelle » — selon l'expression de Michel Maffesoli [1] — puisse fonctionner, donner un certain sentiment d'exaltation. Les choses se passent comme si l'on avait besoin de ce bain de foule pour se dé-fouler et trouver, à la faveur de la nuit, un anonymat complice dans lequel le moi se noie avec délice. Si d'ordinaire l'anonymat a quelque chose d'angoissant pour l'esseulé, ici, entre amis, dans cette mise en scène, on le considère comme les coulisses permettant une joyeuse transgression où l'on peut se libérer des conformismes de la vie habituelle.

Que révèle cette forme de loisir? On voit le « moi » se dissoudre dans la collectivité à laquelle il s'identifie, le « moi » se réifier, c'est-à-dire devenir « la chose » que la mode et les modèles de société imposent. Comme l'écrit

---

1. *La transfiguration du politique*, Grasset.

à ce propos Michel Maffesoli, « la réalisation ou la conservation de soi ne se fait plus dans la profession, mais bien dans le " laisser-faire ", le " laisser-aller " de ces temps vides que l'on partage avec d'autres, et qui deviennent ainsi une " durée " vécue et sensible. Dans cette " durée ", l'esthétique collective repose sur la foule, l'être-ensemble [1] ». Il ressort de là un besoin patent de convivialité entre copains, mais dans une indifférence aux autres et à ce qui jadis pouvait rassembler pour un idéal à promouvoir. Dans les ruines de l'idéologie et dans un monde sans projet de société qui motive, se fait sentir un immense besoin de fête. Fête vécue non plus comme un événement exceptionnel, mais comme forme carnavalesque de loisir qui revient périodiquement pour nous libérer de la morosité quotidienne (avec un *potlatch* quasiment hebdomadaire : on ne regarde pas à la dépense).

On dit de ce quartier de la Bastille qu'il est « délirant ». A la lumière de l'Évangile, quelle lecture réaliste pouvons-nous faire de ces phénomènes de société en grande ville? Quelle sérénité de vivre en ville?

Il est bien évident que le loisir ne se réduit pas, pour le citadin, à cette seule forme de détente. Les activités, les possibilités de loisir n'ont jamais été aussi nombreuses et florissantes. Pour rester dans le cadre du loisir au quotidien, je voudrais m'en tenir à un loisir à la portée de tous : la musique, souligner d'abord combien elle est un loisir essentiellement urbain en ce sens qu'elle ne pourrait pas voir le jour sans la ville. Loisir urbain parce que les salles de concert ne se trouvent pas à la campagne, parce que la fête de la musique est surtout une manifestation citadine. Loisir urbain qui donne lieu à une industrie urbaine.

La musique est devenue une denrée commerciale qui

se fabrique à la chaîne. On la consomme chez soi grâce à une chaîne. Le risque est qu'elle soit enchaînée à tout ce qui fait d'elle un produit d'exportation au détriment de l'intériorité. Également risque de la réduire à un bruit de fond pour tromper l'ennui, un vacarme pour excités en mal de « s'éclater ». L'heureuse initiative de la fête de la musique lui redonnera-t-elle le sens de sa gratuité, son caractère unique, imprévisible ? Que l'on fête la musique pour elle-même, c'est plutôt sympathique, symptomatique d'un progrès de la culture dispensée au plus grand nombre possible. Souhaitons que la fête redonne à la musique sa dimension sacrée. Car toute musique est sacrée dans la mesure où elle dit quelque chose à l'homme spirituel, dans la mesure où sa portée est celle de la sérénité. Pour ce qui me concerne, elle n'est pas simple divertissement. Elle est un havre. Une demeure. Elle m'habite comme je l'habite. La sérénité n'est-elle pas, elle aussi, une demeure intérieure ?

Musique et sérénité : quelle portée ?

La musique, oui la musique ! La musique pour la musique. Être avec la musique. Non seulement entendre « de » la musique, mais s'entendre avec elle au point que tout l'être en soit marqué dans cette correspondance des sens qui faisait dire à Paul Claudel : « L'œil écoute ! » On pourrait dire tout aussi bien : « L'oreille voit... » Elle voit quand l'harmonie imitative d'une œuvre lui suggère immédiatement ce qu'elle décrit, tel l'orage qui éclate dans la Sixième Symphonie de Beethoven.

La musique est ce qu'il y a de plus divin dans l'art humain. Mais d'où vient cette impression que l'inspiration qui a conduit le musicien à composer une mélodie semble correspondre de toute éternité à une intention préexistante? D'où vient cette émotion esthétique, incapables que nous sommes de conceptualiser ce que l'on ressent? D'où vient que cette harmonie corresponde à un plaisir que l'on attend comme si l'œuvre musicale avait été conçue pour satisfaire ce plaisir des sens? Où Berlioz a-t-il été chercher et trouver cette mélodie du Spectre de la Rose dans *Les nuits d'été?* Où Mozart a-t-il été chercher et trouver l'air de la Comtesse, des *Noces de Figaro,* qui nous transporte au-delà de ce que nous pressentons de l'amour? Où donc les musiciens de tous les temps ont-ils eux-mêmes trouvé leur inspiration, si variée à l'infini, si personnalisée? Autant de questions que je me pose à propos de la sérénité.

Si je parle ici de musique, c'est bien parce que son rapport à la sérénité m'intrigue : de même que l'inspiration est donnée au musicien de manière inexplicable, comme une faveur de la nature, de même, pour ce qui me concerne personnellement, je pense que la sérénité s'origine dans cet espace surnaturel qu'on appelle la grâce. Musique et sérénité procèdent toutes les deux de la gratuité d'un don, à cultiver bien sûr. L'inspiration est à la musique ce que la sérénité est à la vie : une symphonie à composer avec tout ce qui nous est donné, pour le meilleur et pour le pire. La sérénité est de l'ordre du charisme à faire fructifier que chacun reçoit selon son tempérament, ce qu'il a d'unique, les talents qui lui sont confiés, pour un certain bonheur, dans les bons comme les mauvais jours. Cela éclaire ce genre de question : « Préférez-vous Mozart ou Beethoven? » Chacun d'eux est une étoile irremplaçable! Mais pourquoi personnellement ai-je un faible pour Mozart? Sans doute parce que je trouve chez lui ce dont j'ai besoin pour nourrir ma sérénité, un esprit d'enfance, une jubilation, une exubérance de vitalité, une telle connaissance du cœur humain qu'il est difficile de trouver mieux que chez Mozart, ce sens du dérisoire, cette alliance du pathétique avec des débordements de fantaisie. Par exemple, devant le cynisme de l'infidélité, cette alliance du pessimisme avec un optimisme plein d'humour. Que l'on songe à *Così fan tutte,* à *L'enlèvement au sérail,* aux *Noces de Figaro,* à *Don Giovanni,* à *La flûte enchantée :* je ne vois pas de compositeur qui soit aussi complet et varié.

Beethoven n'a composé que de la musique instrumentale, hormis son unique opéra *Fidelio,* œuvre d'un professionnel hors ligne, mais qui n'arrive pas à me passionner. Il ne suffit pas d'atteindre une perfection formelle pour enthousiasmer. C'est — pour toute une partie de l'œuvre de Bach — ce que je ressens. J'ai passé l'âge de m'ennuyer sous prétexte que c'est culturel et que l'on passera pour un béotien si l'on ose dire ce que beaucoup pensent tout bas. La culture qui ne me réjouit pas d'une manière ou d'une autre ne m'intéresse pas. Elle n'est pas un devoir auquel « il faut » s'astreindre. Elle relève pour une part du loisir, du plaisir. J'oserai donc dire, au risque de paraître iconoclaste, que la musique de Bach qui se dévide trop souvent selon l'esprit de géométrie, monotone comme un jour qui se traîne en attendant qu'un autre ne vienne prendre la relève, me semble dénuée de cette sensualité qui déborde chez Mozart. Wolfgang est un ami qui nous atteint dans notre sensibilité, dans tout ce qui fait de nous des êtres incarnés. Il nous touche dans la connivence qu'il établit avec nous, en notre être tout entier, le corps et l'âme. La musique de Bach, d'inspiration spirituelle, parle à notre âme... comme si elle était isolée. Je n'ai pas de peine à reconnaître comme chefs-d'œuvre de toute l'histoire de la musique ses suites et concertos brandebourgeois, *Actus tragicus* — splendeur inégalée —, certaines pièces d'orgue, cantates et chorals. Mais je ne trouve pas chez ce Bach mystique cette fête de l'esprit qui nous réjouit tant chez Mozart, cet « esprit de finesse », cette innocence du génie. C'est comme si la musique de Mozart débarquait du ciel sans travail, venant au-devant de lui comme quelque chose de prédestiné.

Mais puisque mon propos, à l'occasion de cette méditation sur la musique, est de mettre en lumière son rapport à la sérénité, j'aimerais dire encore combien le recueillement, la disponibilité, la présence à soi-même — et pourquoi pas à Dieu? — que réclame la musique, réunifient en nous ce que la quotidienneté disperse. La musique pacifie, libère autant le trop-plein de nos activités que le vide qu'elles accusent. La musique s'empare de nos corps et âme pour nous ramener au meilleur de nous-mêmes. En cela, elle me paraît être l'art suprême, l'art total, l'art majeur par rapport à la peinture. Pourquoi le plus beau des paysages d'un grand maître de l'histoire de la peinture ne produit-il pas sur moi le même effet que *Le sacre du printemps* de Stravinski, ou même les *Préludes* abstraits de Debussy?

Assurément, j'ai de grands moments de large contemplation mêlée d'émotion devant certaines toiles de maîtres, mais une émotion de spectateur qui demeure « devant » un objet et non pas celle qui nous rend acteur, comme dans le cas de la musique quand, par exemple, l'on est porté à fredonner en soi-même l'air chanté par la diva dans un opéra auquel on participe. Pourquoi la toile la plus somptueuse peut-elle me laisser béat d'admiration sans provoquer cette euphorie, ces transes et délices qui déchaînent les ovations d'une salle d'opéra? Une fois réalisé, le tableau — si suggestif soit-il — n'est pas pour moi aussi vivant que l'interprétation d'une symphonie ou d'un grand air d'opéra. Le portrait demeure figé dans la toile tandis que la musique, elle, sort de la partition écrite pour devenir une aventure. D'abord celle de l'interprétation, qui la fait vivre d'une manière toujours différente. *Tosca* chantée par la Callas et dirigée par Sabata n'est pas *Tosca* chantée par Montserrat Caballe et dirigée par Colin Davis. Et pourtant, c'est toujours *Tosca* de Puccini, réincarnée, réactualisée... Et puis, il y a le chant, le miracle des voix, pas seulement dans le timbre, la modulation, la couleur, la tessiture, mais ce risque immense de se lancer sans jamais savoir si la voix ne va pas craquer. Risque du corps qui peut ne pas répondre à la technique du chanteur. Miracle de la voix, absolument unique, propre à la personnalité de chacun.

Ce qui fait de la musique un art universel, c'est sa capacité d'exprimer la diversité de la nature humaine à travers des formes multiples allant de la plus simple des musiques folkloriques jusqu'à la sophistication de musiques atonales, amodales, abstraites dans leur prétention à être concrètes. On peut apprécier différemment avec un intérêt incomparable l'opéra, la grande musique, le grégorien, le jazz, la chanson de charme et de variété, et aussi se permettre de détester le rock excité. La musique que l'on aime n'est pas innocente. Elle est révélatrice d'une certaine culture. Elle joue un rôle prépondérant dans la formation du goût. On n'entre pas dans l'univers de la musique lyrique simplement parce que, de manière instinctive, « on aime », comme si aimer dispensait de connaître. Plus on connaît, plus on aime. On n'entre pas dans l'univers du jazz sans une éducation de l'oreille, un sens du rythme.

On n'entre pas non plus dans un désir de sérénité sans se demander ce que l'on recherche dans la quotidienneté.

Si on isolait chaque note de la continuité de la ligne mélodique, la musique n'aurait évidemment aucun sens. De même, si nous considérons nos journées sans rapport avec la finalité de notre vie, elles peuvent nous paraître maussades et insignifiantes. La ligne mélodique de ce chant des jours qu'est une vie sur la terre se découvre dans la tonalité de l'amour qui — je ne me lasserai pas de le répéter — transfigure toute chose et donne valeur d'éternité à la quotidienneté. Rien n'est résolu pour autant. Il reste encore à dépasser l'impression d'émiettement de l'existence que plus d'un éprouve.

DÉPASSER LES APPARENCES

Le temps de l'espérance

La sérénité est recherche d'équilibre entre ce qui passe, ce qui demeure et ce qui doit advenir, selon le paradoxe du Royaume des Cieux dont le Christ a dit : « Il est là. Il est proche. Il est à venir. » Telle est la dynamique de l'espérance.

L'espérance, c'est elle qui nous donne de ne plus être des gens tendus, mais dans la sérénité, « en tension », ouverts à ce qui nous dépasse. Dans la foi chrétienne, se dépasser soi-même c'est se livrer à l'espérance. Espérance! Souffle de Dieu sur nos vies essoufflées. Dieu est espérance. Comment cela? Que peut-il bien attendre, espérer : il voit tout. Il sait tout. Il a tout. Il est tout! Mais ce « tout » n'est pas inerte, passif. C'est l'amour communiquant entre le Père, le Fils, l'Esprit. Ainsi on peut dire :

37

Le Père espère en son Fils. Le Fils espère en son Père. L'Esprit, qui procède du Père et du Fils, espère dans l'espérance réciproque du Père et du Fils. Jargon? Non. Manière d'exprimer que l'amour est toujours attente de l'Autre. Désir de l'Autre. Tension vers l'Autre. Si Dieu n'avait rien à attendre de Lui-même, il serait pure passivité. Indifférence totale. Ingratitude. Incapable de communiquer sa grâce.

Je l'avoue, si j'apprenais que Dieu n'a rien à espérer des hommes, je serais de ces hommes qui n'ont rien à espérer de Dieu. Logique! Car si Dieu n'avait que faire de mon amour, comment pourrais-je l'aimer? Or, j'espère en son amour. C'est là, dans la foi la plus dénudée, la source de ma sérénité.

L'espérance, c'est la force invisible d'un amour qui donne sens à toute une vie.

• *Espérance pour hier.* Je veux dire : elle nous libère d'un passé qui pourrait nous peser, lourd peut-être de trahisons, de choses moches, alors elle nous chuchote au-dedans de nous : « Dieu t'aime, non pour ce que tu as fait, mais ce que tu es, tel que tu es. » Inutile de ressasser des remords : c'est morbide. Mieux vaut le repentir positif, c'est-à-dire un élan pour renaître. Ne traînez pas vos chagrins comme un boulet. Entraînez-vous à l'espérance : elle est un premier pas vers la sérénité.

• *Espérance pour aujourd'hui.* Au cœur de nos épreuves présentes, comment espérer quand humainement il n'y a plus aucun espoir? Pas de réponse préfabriquée. Seulement des signes. Je revois cette vieille dame, une grande amie qui brilla toute sa vie par une intelligence très vive, pleine de charme. Dans les dernières années, elle a été atteinte de cette terrible maladie incurable d'Alzheimer. A la fin, elle ne me reconnaissait plus. Je pouvais penser que c'était inutile de continuer à lui rendre visite. Mais la fidélité de l'amitié étant plus forte, j'ai persévéré. Il n'y avait plus d'espoir de la moindre lucidité. Mais l'espérance, elle, n'était point éteinte. J'en ai eu un signe bouleversant. Tandis que depuis plusieurs mois ses yeux étaient inexpressifs, un jour où j'allais la voir son regard s'illumina, se posa sur moi avec une tendresse infinie, avec ce sourire entendu, éclairé par cette beauté propre aux personnes âgées, sourire sans paroles, silence comme un baiser de l'âme. Cela simplement pour dire : Dieu nous donne des signes pour ouvrir nos cœurs à autre chose que ce à quoi nous voudrions nous attendre dans l'immédiat, autre chose que ce que nous demandons présentement. L'espérance creuse alors en nous le désir de découvrir ce que nous annonce la parole de Dieu.

• *Espérance pour demain.* L'espérance est promesse d'un bonheur éternel qui n'aura rien à voir avec ce que nous connaissons sur terre. L'auteur de l'Apocalypse nous assure : « L'ancien monde s'en sera allé : de mort, de cris, de pleurs, il n'y en aura plus. » Heureuse prophétie et sérieuse mise en garde pour tous ceux qui se figureraient que ce bonheur éternel est à envisager comme le prolongement en mieux, en perfection, de ce que nous avons pu vivre d'heureux sur terre. Non! Le monde nouveau sera radicalement autre. Espérer n'est pas tendre à récupérer dans l'au-delà nos bonheurs d'ici-bas, mais accueillir une nouveauté inconcevable. Si l'espérance n'est pas un mirage, elle n'est pas non plus un rêve en l'air. Elle se fonde sur la confiance en la promesse que Dieu nous fait de sa béatitude à jamais. Cela, non pas comme nous pourrions le souhaiter selon nos aspirations humaines, mais comme Lui, Dieu, le veut pour nous.

Qui songe à la portée de ces paroles du Notre-Père?

« Que ta volonté soit faite sur la terre *comme au ciel !* »
C'est-à-dire comme elle se réalise effectivement dans le
Royaume des Cieux. Mais ce que Dieu veut n'est pas
forcément ce dont l'homme a envie. La volonté de Dieu,
n'est-ce pas en définitive que nous soyons infiniment
heureux de Lui ! Heureux avec Lui ! Heureux par Lui ?
L'espérance est surnaturelle : au-delà de nos désirs terrestres. Elle est marche vers la plénitude de la sérénité.
Pour l'atteindre, il faut du temps, la patience du temps,
la liberté du temps ; libérer le temps de ce qui nous
empêche, dans les soucis de la vie, de faire germer
l'éternité. Le temps libre alors n'est-il pas — dans notre
inconscient — avant tout désiré, espéré comme le temps
rêvé où enfin on a la possibilité de faire ce que l'on veut
et donc d'accéder à une certaine sérénité ?

Faire le vide

Nous courons après le temps libre. Mais rien ne sert
de courir. Il faut se libérer soi-même... à point ! Regardons
comment nous passons notre temps : nous passons avec
lui dans une perpétuelle fuite en avant. Nous voulons
encore remplir notre temps que nous prétendons libérer
tandis qu'il s'agit de passer au tamis nos activités ! Écoutons la voix de la Sagesse : Tu es fait pour la liberté !
Enchaîné par les obligations que tu te donnes, tu deviens
otage de toi-même. Fais le vide !

A scruter la Révélation, le message paraît assez clair :
pour libérer le temps, il faut faire le vide ! Paradoxe ! A
l'homme qui aspire à une vie bien remplie, Dieu ne
trouve-t-il rien de mieux à proposer que de s'engouffrer
dans le néant ?

« Celui qui veut sauver sa vie, la perdra,
Celui qui consent à la perdre, la sauvera. »

Celui qui veut sauver le temps libre le perdra, s'il s'enivre encore d'occupations qui le dispersent et dissocient son être. Après Pascal qui déplore ce malheur de l'homme, incapable de demeurer seul et tranquille dans sa chambre, Sartre souligne cette illusion de l'homme qui s'imagine vouloir le repos alors qu'il s'agite perpétuellement. « L'homme, dit-il, veut le repos, mais dans le mouvement! » (écrits posthumes). Cette agitation intérieure qui s'exprime par cette incapacité de rester en lieu et place de soi-même, voulant toujours occuper le temps, voilà ce qui est sa perte. Pour éviter cette perte de temps, je veux dire cette mise à mort du temps, Dieu nous dit : « Celui qui consent à faire le vide, sauvera le temps libre. » Temps libéré pour un loisir épanouissant, temps donné pour le service, le bénévolat, temps d'aimer : soi-même, les autres, Dieu.

Mais de quel vide s'agit-il? C'est bien connu, l'homme a horreur du vide. Le vide, c'est l'abîme : vide d'un précipice qui donne le vertige. Le vide, c'est le néant; vide de la solitude qui oppresse. Le vide, c'est la mort. Je pense à ces silences que précisément on appelle silences de mort : ce mutisme qui s'installe entre les personnes qui n'ont plus rien à se dire. Vide d'une parole que l'on ne trouve plus en soi pour s'adresser aux personnes que la douleur écrase.

J'ai éprouvé cela moi-même en visitant à l'hôpital des malades dans un tel état de souffrance qu'on ne sait plus quoi dire. Les philosophes linguistes prétendent : « Rien ne va ni ne vient sans dire. » Mais faut-il toujours « dire »? On éprouve souvent la peur d'un silence qui pourrait

41

être interprété comme indifférence, un temps mort, un vide insupportable. On est là à essayer de faire la conversation, d'autant plus difficile que bien souvent le malade ne peut plus parler. On est trop lucide, trop sensible pour ne pas se rendre compte du dérisoire absolu des pauvres petites histoires que l'on essaie de raconter pour faire entrer la vie dans ces lieux de mort que sont les services de réanimation. On essaie de distraire et l'on réalise ce que la vie des bien portants peut avoir d'insolent pour celui qui la perd. On voudrait tellement communier à la souffrance de celui qu'on aime, terrassé par la douleur. On se sait à cent lieues. Alors, la peur du vide vous prend. Panique intérieure. C'est le moment d'être particulièrement vigilants car les mots creux, inutiles, risquent de se précipiter pour parer à notre peur du vide de la parole. Vide qui nous fait souffrir. Vide nécessaire.

Matériellement pour commencer, l'opération par le vide est une nécessité pratique de la vie. Si l'on veut ranger de nouveaux vêtements dans une armoire déjà bourrée, on est bien obligé, à un certain moment, de se débarrasser de ses vieilles nippes. Au moment des grands déchirements de la vie, un deuil, un exil, ou tout simplement lors d'un déménagement, quand il faut changer de vie, quel mal avons-nous à trier : « Cela, je le jette... ou pas ? » Et dire que l'on a gardé tous ces papiers, ces journaux jaunis, ces bricoles, ces objets qui ne servent à rien, pour quoi faire ? Faire le vide ! Bien forcé, quand on fait ses valises.

Spirituellement, il en va de même : Ouvre tes placards ! Liquide les vieilles liquettes de ton âme pour devenir cet « honnête homme » de l'Évangile, bien dans sa peau, dont parle saint Paul : « Dépouille le vieil homme pour revêtir l'homme nouveau. » Ne te contente pas d'épousseter superficiellement ta vie à coups de plumeau qui n'ont pour effet que de déplacer la poussière. Il convient d'épouser ce que le baptême fait de nous : des chrétiens identifiés au Christ mort et ressuscité, voués à mourir aux forces de mort qui les assaillent pour se dévouer à la vie. Par forces de mort, j'entends les conditionnements qui entravent notre liberté foncière, les tares génétiques qui nous sont données comme prime de naissance, nos maladies et handicaps physiques. Forces de mort, ce sont aussi ces ruses que nous avons à débusquer, que nous nous donnons pour camoufler nos conformismes, nos égoïsmes, nos compromissions avec le mal. Forces de mort, en définitive, elles font leur ravage dans cette maladie auto-immune de l'âme que l'on appelle le péché : elles nous détruisent et finissent par enterrer dans l'étroitesse de nos tombeaux nos vies rabougries qui sentent le renfermé, refusant trop souvent de s'ouvrir à ce qui les ferait renaître.

Faire le vide est donc une exigence du mystère pascal. Elle se concrétise autant par la lutte contre les forces du mal afin qu'une vie nouvelle puisse resurgir, que par le renoncement volontaire à des choses bonnes, afin qu'autre chose puisse naître. En ce sens, Heidegger écrit : « Renoncer n'enlève pas, il donne! » Le détachement assumé dans l'amour donne autre chose que ce dont on se déleste, une autre joie que ce dont on se prive. Il indique le sens du vide. Faire le vide n'est pas un but en soi. Le vide est négatif quand il se prend pour sa propre fin, positif quand on le considère comme le lieu transitoire vers une plus grande liberté. Je préfère dire alors : « passage à vide », expression pascale qui traduit mieux la double face de la vie spirituelle : ascèse et mystique.

• *Ascèse.* La vie spirituelle suppose des arrachements en profondeur que favorisent ces décapages que sont, par exemple, les exercices de saint Ignace, les retraites, les révisions de vie en vue de se « désapproprier » de ce qui nous empêche de devenir un « détaché » selon l'Évangile. Pour être ce détaché évangélique, il me semble requis d'abord d'être un bon vivant, un bien vivant, attaché aux joies de la Création, sinon ce détachement risque de n'être qu'un mépris pour ce bas monde, fuite devant le courage de vivre et la nécessité d'inventer sa vie. Le détaché ne saurait être un indifférent.

Le détachement évangélique n'est pas à confondre avec l'aspiration bouddhique à être « libéré de la soif de vivre » pour atteindre le nirvana, « le vide de toute sensation » (216e et 93e sentences de Dhammapada). Pas davantage il ne saurait se confondre avec cette caricature du christianisme prônant le mépris des choses terrestres. Combien de gens se disent détachés de tout alors qu'ils ne sont que désabusés. Ayant perdu leurs illusions, le sel de l'existence s'est affadi. Du même coup, ils ont perdu la saveur de la vie. Le détachement évangélique est la distance à prendre par rapport aux réalités terrestres pour ne pas se laisser aliéner par elles. Il indique le sens du vide : passer par la mort pour resurgir à la vie. Nous sommes alors au plan de la mystique.

• *Mystique.* Passer par le vide n'a de sens que si nous allons au-devant du Ressuscité. Il nous précède, non plus en Galilée, mais dans la démarche baptismale où nous consentons à nous mettre au point mort pour passer à ce que j'appellerai « le point vie », espace de liberté où plus rien n'accroche, sinon la passion de la vie qui nous donne un nouvel élan pour repartir plus dégagés vers notre destination ultime : Dieu. Exigence mystique bel et bien, car cette destination on ne la trouve que dans une marche de nuit.

Nuit de la foi : Nous sommes amenés à renoncer à

nos prétentions théologiques avides de vouloir toujours prouver quelque chose, prouver l'existence de Dieu, prouver sa bonté alors que nous n'avons rien à prouver, mais à témoigner d'une expérience et de recherche incessante. Nuit de la foi qui permet à la prière de trouver place dans le silence. Car la pénurie dans laquelle nous sommes de pouvoir parler sur Dieu ne nous dispense pas de parler à Dieu dans la prière. Elle aussi est appelée à passer par le vide.

Nuit de la prière qui ne peut trouver la sérénité dans le déballage auquel on assiste aujourd'hui de mots creux et formules généreuses assurément sincères, mais si prolixes qu'elles donnent lieu à une logorrhée inépuisable. Nuit de la prière qui, trop fatiguée de tout ce verbiage, se repose, s'exprime par ce grand silence dont Paul Valéry disait : « Silence! Édifice en mon âme! »

Nuit du non-savoir, car il nous faut, comme dit Jean de la Croix, désapprendre ce que nous croyons pouvoir tenir orgueilleusement comme acquis, un acquis qui nous donne droit de répondre à tout! Ce chemin où l'on se heurte à l'insensible, à l'inconnaissance, à l'indigence de l'intelligence, ce chemin se fait de nuit.

Nuit obscure à considérer, nous fait comprendre Jean de la Croix, non pas seulement comme une épreuve initiatique de la foi, mais comme une grâce à désirer pour elle-même. Cette nuit obscure, ne l'appelle-t-il pas « Nuit bénie, nuit plus aimable que l'aurore »? Car au cœur de ce Nada, de ce Rien qu'est le vide par lequel il faut passer, surgit la plénitude de l'amour, pour autant que nous pouvons la saisir dans l'attente que le temps soit accompli parfaitement dans l'éternité.

L'expérience mystique du vide, la plénitude de l'amour, l'accomplissement du temps : nous voici au carrefour de trois chemins qui se croisent dans la façon de poser la question de la finalité chrétienne du temps libre, car ce que l'on appelle couramment vulgairement « le temps libre », on ne saurait le réduire à n'être qu'un phénomène de société, la condition nécessaire pour l'éclosion de la civilisation des loisirs. Le temps libre préfigure cet accomplissement du temps que l'on appelle l'éternité et qui, dans la foi, est à envisager comme la liberté de trouver enfin l'amour infini dans le temps infini. La nécessité de faire le vide m'apparaît alors comme le moment où, pour parvenir à une certaine plénitude, il s'impose non pas de s'échapper, par exemple, de partir en vacances, mais de s'astreindre à l'ascèse de « faire vacance ». Faire désert en soi. Faire retraite pour se traiter en créature nouvelle. Faire silence. En définitive, faire connaissance avec la sérénité dans la nudité acceptée de sa propre vérité.

Jésus et le désert de l'âme

La nécessité de faire le vide, Jésus va la faire sienne corps et âme au début de sa vie publique par l'expérience mystique du désert et, à la fin, par cette autre expérience non moins mystique : sa Passion. Le désert de Juda où Jésus « est conduit par l'Esprit », c'est le désert de l'âme. En effet, Jésus est pour ainsi dire mis en quarantaine par Dieu puisque livré au diable pour être tenté pendant quarante jours, comme il sera mis en quarantaine par Dieu à la Passion quand, livré aux mains des pécheurs, il criera sur la Croix : « Père, pourquoi m'as-tu abandonné? » Ainsi le Christ nous révèle ce vide, ressenti intérieurement comme le passage obligé du plein accomplissement de soi-même; ce que précisément signifie le temps libre. Son expérience est révélatrice.

46

Lui, Jésus qui va se déclarer le chemin, commence par refaire en lui-même cet itinéraire spirituel qui fut celui des Hébreux quand, poursuivis par Pharaon, ils ont passé la mer Rouge. Mer rougie de tous les péchés du monde. Jésus va la traverser en lui-même, connaissant jusqu'au sang dans sa Passion ce qu'est l'abîme de l'âme. Voilà le plus désertique des déserts dans la nuit la plus obscure qui soit. Voilà le vide absolu que traduit ce mot grec cher aux théologiens, « kénose », et que saint Paul exprimera de façon bouleversante dans l'hymne de l'épître aux Philippiens :

« Lui, de condition divine
ne s'est pas prévalu jalousement
du rang qui l'égalait à Dieu.
Il se vida lui-même
prenant condition d'esclave
et devenant semblable aux hommes.
S'étant comporté comme un homme
Il s'humilia plus encore
obéissant jusqu'à la mort
et la mort de la Croix.
Aussi Dieu l'a exalté!... »

Ph 2, 6-8

En fin de compte, le Christ est exalté! C'est proclamer que du vide — vécu comme passage de la mort à la vie — surgit la Résurrection.

A quoi les femmes, dans le jardin fleuri de ce premier matin du Nouveau Monde, verront-elles que Celui qu'elles cherchent n'est plus ici?... A quoi? Encore au vide. Au tombeau vide, signe de la Résurrection, non pas probant, certes, mais qui pose question. Là encore, paradoxe. Le vide indique : « La vie est ailleurs ! » Le vide indique : « Ne cherchez pas parmi les morts Celui qui est vivant. » Ne cherchez pas la liberté dans les cimetières, en vous laissant enterrer dans toutes ces situations où vous assaillent ces forces de mort que sont les difficultés du « temps contraint ».

L'Église a tellement bien compris l'importance de la portée emblématique de ce vide que, pour fêter la Résurrection de son Sauveur, elle commence par célébrer le samedi saint par un étrange vide liturgique : aucun office, il faudra, dans le dépouillement des autels, attendre la nuit. Vide pour nous rendre plus avides de cette invraisemblable présence divine du Ressuscité enveloppé dans son linceul de silence. Comme si Dieu ce jour-là tenait à nous offrir, pour réchauffer notre foi nue, le suaire dont les traces de la divinité sont celles du Désir. Désir de Dieu qui nous fait exulter lors de la vigile pascale quand les flammes vacillantes de nos petits cierges, à l'image de nos vies fragiles, illuminent la nuit de Pâques.

Si j'évoque ainsi ce vide liturgique, ce n'est pas sans rapport avec la sérénité : elle aussi appelle à un dépouillement de ce qui distrait de l'essentiel. Elle suppose une pureté du regard que rien n'arrête dans la vérité nue. S'impose alors à moi l'image de l'église romane : par son austérité elle nous livre le même message. La sobriété de ses lignes, de son volume, au lieu de donner l'impression d'un vide qui ne serait que néant, fait naître, par la grâce cistercienne, un sentiment de plénitude. L'art roman est un défi au baroque de nos vies, au style rococo d'existences faites de rocailles, alourdies par ces bibelots des choses du monde que sont les biens, les avoirs et faire-valoir, les envies et caprices qui ont la prétention de décorer nos destinées et qui, en fait, ne font que les encombrer.

Je méditais cela au cours d'un pèlerinage dans les abbayes romanes de Provence : le Thoronet et Senanque, mais aussi Montmajour et Silvacane. Là, seul avec ma mère, dans la clarté blanc-bleu d'un pur matin de mai, la sérénité m'est apparue comme un don de la lumière quand, filtrée au bon moment, elle arrive par les fenêtres appropriées au passage du soleil pour s'imprimer très douce sur la pierre et diffuser en nous la paix.

Dans cette église de Silvacane, déserte, nous entendions crépiter le silence à travers l'épiderme ensoleillé de la pierre. Spontanément, mû par l'irrépressible besoin d'exulter, j'entonnai à pleine voix le *Salve Regina*. L'antienne retentit dans un écho superbe. Chaque note retombait graduellement des voûtes pour s'éteindre dans cette prière : que ma sérénité demeure!

« Un temps de guerre et un temps de paix »

Sauver la sérénité

Le métro vient de prendre le virage en pente assez raide — épingle à cheveux bien connue des Parisiens — avant d'aborder la station « Bastille ». Il gîte et gémit de tout son poids de ferraille. Mais les grincements sont dans l'âme. Assise devant moi, une femme, la cinquantaine, semble chavirée par autre chose que les convulsions des rames. On ne peut pas dire qu'elle parle toute seule car elle n'élève pas la voix, mais sa mimique indique bien qu'elle se parle à elle-même. Le regard est vide comme si le monde n'existait pas autour d'elle. Seule avec elle-même, avec ses problèmes. Son visage parfois se crispe, tel un rivage battu d'un seul coup par une vague déferlante. Cette femme ne voit pas que je vois son index se tendre à certains moments de sa conversation intérieure, comme pour avertir — l'interlocuteur invisible? — que la coupe est pleine. Elle esquisse alors un mouvement de lèvres qui se plissent. Quels comptes a-t-elle à régler? Avec qui? Pourquoi? Nous sommes loin de la sérénité.

Mes yeux se déplacent et se posent sur les murs du

quai de la station recouverts d'une fresque en céramique évoquant les assauts de la Révolution française. Un jour ou l'autre, qui n'est pas en état de révolution avec lui-même, avec les autres, cerné par un ou des conflits qu'il n'arrive pas à regarder en face, à affronter, à dépasser?

Les portières claquent. Après être sorti du tunnel pour prendre un bol d'air à la station Bastille, la chenille bleue s'ébranle, serpente, replonge dans le noir *shéol* des Parisiens. Devant moi, toujours ce visage de femme perdue dans sa nuit. Elle n'entend même pas l'inévitable joueur de guitare qui braille « I love you » alors que tout le monde s'en fout. Elle ne voit pas la romanichelle qui fait la manche, apitoyant la foule avec sa gosse dans les bras. Elle est nulle part. Quelle part prendre à ces détresses anonymes? Vraiment la sérénité est à sauver!

Je n'ose plus maintenant la suivre du regard. Insister serait la dévisager, dénuder son âme au seuil d'un secret qui ne nous appartient pas. Je ferme les yeux. Je me laisse pénétrer de l'intérieur par ce visage. Il devient prière, foule d'autres visages. La sérénité n'est pas pour moi un problème abstrait, un sujet de littérature. Je la perçois à travers tous ces visages d'hommes et de femmes meurtris par les conflits de la vie. Ces conflits se présentent sous un triple point de vue : conflits avec soi-même, avec autrui, avec Dieu. Chacun de ces conflits suppose inséparablement que l'on regarde, que l'on s'affronte, que l'on dépasse...

REGARDER EN SOI-MÊME

Tiraillé entre le bien et le mal

Point besoin de grandes palabres pour souligner combien toute notre existence est marquée par notre condition pécheresse, déterminée par cette mystérieuse contradiction, écharde en notre âme que saint Paul traduisait en ces termes : « Le bien que je voudrais faire, je ne le fais pas, et le mal que je ne voudrais pas faire, comme un fait exprès voilà ce que je fais. »

C'est morbide de se culpabiliser quand notre responsabilité propre, pleine et entière n'est pas vraiment, totalement engagée. La culpabilité, celle qui tourne à l'obsession et nourrit la mauvaise conscience, rien de pire pour empoisonner la sérénité. Je parle de la culpabilité qui finalement n'aboutit qu'à se morfondre et non pas à se réconcilier avec soi-même, les autres et Dieu, quand effectivement nous nous considérons en faute. Mais sur quels critères se reconnaître en faute? A chacun, à la lumière de l'Évangile et dans la bonne foi inspirée par l'Esprit, de bien regarder ce qu'il en est. *A priori,* ce n'est pas notre faute si, dès le sein de notre mère, nous naissons marqués au fer rouge par le péché. Nous venons au monde en boitant dans la vie avec cette entrave aux pieds qu'est une liberté mutilée par un péché dont personne ne parvient à dire exactement ce qu'il est à l'origine. Nous pourrions récriminer avec arrogance : si Dieu tout-puissant laisse faire le mal, qu'Il s'en prenne à Lui-même! Si devant ce mystère insondable du péché et de la grâce sur un fond de liberté discutable, Dieu nous embrouille, qu'Il se débrouille!

Discerner en nous cette ambivalence du péché et de la grâce suppose que nous fassions la différence entre ce qui relève d'une mystérieuse solidarité avec le mal dont je suis, au point de départ de la vie, une victime innocente et même esclave, et puis ce qui relève de ma liberté et responsabilité. Alors, arrêtons de grâce — et je dis bien : de grâce — de nous présenter à Dieu d'abord et uniquement comme coupables. Ne faisons pas injure à Dieu qui avant tout nous crée par amour, à son image. Bien sûr, quand nous commettons des fautes, il est normal de battre sa coulpe : « C'est ma faute! » mais n'exagérons rien! Nos péchés ont de l'importance, mais nous-mêmes ne nous donnons pas d'importance avec nos péchés.

Pour Dieu nous sommes des enfants qui, comme tous les enfants, font des bêtises. Alors, demandons pardon pour nos bêtises comme un petit qui se jette dans les jupes de sa mère. Je ne cesserai de le répéter, arrêtons de toujours dire : « C'est ma faute, c'est ma faute, c'est ma très grande faute. » Je ne suis pas que négatif et coupable! Ô comme j'aimerais que toute messe commençât par ces mots d'amour pour Dieu : « C'est ma grâce, c'est ma grâce, c'est ma très grande grâce! » Quelle grâce? Eh bien, celle d'être un pécheur sauvé car, si Dieu nous crée solidaires d'Adam, Il nous crée plus essentiellement solidaires du Christ.

Comment, pour sauvegarder sa sérénité, concilier ces deux faces de notre visage d'enfant de Dieu : fautif, il est vrai, et pourtant gracieux aux yeux de Dieu? Essayez de traduire « C'est de ma faute » par « C'est de mon fait », et vous verrez, cette nuance qui peut paraître subtile est libératrice quand elle permet de discerner dans la bonne foi ce qui est, d'une part, du ressort de notre responsabilité et, d'autre part, ce qui est à mettre sur le compte d'une hérédité aliénante. Cessons donc de nous reprocher ce qui est inhérent à la nature humaine que Dieu nous impose et rapprochons-nous de nous-mêmes avec l'amour nécessaire, selon la volonté même de Dieu. Dans cette lumière, dépasser ce qui nous perturbe dans cette dualité que nous éprouvons douloureusement quand le bien et le mal s'affrontent en nous-mêmes, c'est accueillir en nous les semences de résurrection que l'espérance fait lever, je veux dire ces appels à la vie auxquels nous répondons positivement, ces appuis à la vie que nous pouvons être pour les autres quand nous les aidons à vivre.

Outre ce duel péché et grâce, je vois une autre dualité qui est source de conflit en nous : la tension entre le temps et l'éternité, le manque de temps.

Entre le temps perdu et retrouvé

Le fait de vivre dans le temps, d'être astreint à des horaires fait naître des conflits de disponibilité provoquant des tensions qui ruinent la sérénité. On ne sait plus où donner de la tête! Comment répondre à plusieurs appels à la fois, se rendre à deux, si ce n'est trois réunions qui tombent en même temps? On court après le temps. On veut toujours gagner du temps. En fait, on en perd souvent plus qu'on en gagne dans ces courses effrénées où inévitablement on oublie quelque chose qui oblige à revenir sur ses pas. On veut faire deux choses en même temps, on pense à autre chose. On veut aller trop vite. On casse. On fait tomber. On tombe soi-même... On se plaint de n'avoir pas le temps. Qu'en est-il vraiment?

Rien de plus lassant au début d'une conférence, par exemple, que d'entendre l'orateur prendre des précautions qui n'en finissent plus pour vous dire qu'il n'aura pas le temps en une heure de traiter le sujet de manière exhaustive : mais qu'il commence, bon sang, par ne pas perdre son temps à nous ressasser qu'il n'a pas le temps! A l'inverse, comme c'est rassérénant quand, par exemple, vous consultez chez un médecin, de vous entendre dire : « Racontez-moi ce qui vous arrive : j'ai tout mon temps! » Façon de parler, bien sûr. Vous savez bien — à voir le nombre de patients... impatients dans le salon d'attente — que le médecin n'aura pas un temps fou à vous consacrer. Cela signifie simplement : « Je sais disposer de mon temps pour être le plus posé possible, vous écouter, vous accueillir! »

Il s'agit de savoir gérer son temps, le temps limité; être organisé; distinguer entre l'urgent et l'important; avoir cette philosophie de remettre au lendemain ce que l'on peut faire le jour même, si l'on veut véritablement ne pas se laisser avoir par le temps, se laisser dépecer par lui, être à sa merci.

Il ne suffit pas d'avoir le temps pour savoir se donner du bon temps. A cet égard, la période des vacances est le temps idéal. Mais que l'on ne s'y méprenne pas! Le temps de loisir est lui aussi un temps contraint, non plus par le travail, mais par les servitudes de la vie. En vacances, nous restons soumis à des horaires, à des heures de pointe où, par exemple, les routes encombrées pour se rendre sur les plages ressemblent à celles que l'on prend pour aller travailler! Ce que l'on fait chez soi rapidement et confortablement devient problématique pour la mère de famille en camping... Alors, quelle sérénité?

Le temps libre serait-il illusoire? Dans l'absolu, le temps

libre, c'est le temps libéré du temps non contraint; le temps dont on n'a plus conscience, selon l'expression : « Je n'ai pas senti le temps passer! » Le temps « agile et escamoté » selon la belle expression de Proust! « Quand les heures s'enveloppent de causeries, on ne peut plus les mesurer, même les voir, elles s'évanouissent » (*Le côté de Guermantes* II, chapitre deuxième). Temps de la gratuité que j'appellerais la « poétique » du temps, en ce sens que l'on ne fabrique rien d'autre que ce qui peut paraître du temps perdu, ce temps de vivre qui nous permet de nous retrouver nous-mêmes, ce temps qui nous met sur la longueur d'onde d'éternité quand, artistes du temps, nous savons ciseler des parcelles de durée dans l'instantanéité d'un moment. Proust a, là encore, des pages fameuses (*ibid.*) : « Nous ne profitons guère de notre vie, nous laissons inachevées dans les crépuscules d'été ou les nuits précoces d'hiver, les heures où il nous avait semblé qu'eût pu pourtant être enfermé un peu de paix ou de plaisir. »

En définitive, pour vivre sereinement dans le temps, il convient de *relativiser* cette impression subjective que j'appellerais volontiers : la limitation de vitesse du temps... Pour les gens pressés, le temps file à toute allure. Le temps passe trop vite. Le temps est trop court. Pour les gens oppressés par la solitude, l'ennui, la douleur, le temps n'en finit pas. C'est interminable! Il ne suffit donc pas seulement de concilier mes limites avec celles du temps, mais de me réconcilier avec le temps dans la représentation que je me fais de lui psychologiquement, métaphysiquement, spirituellement.

Le temps qui fuit a un goût de mort. Mort physique qui nous rapproche chaque jour de la fin des temps, la fin de notre temps. Mort d'un bonheur qui nous a été comme volé, par exemple la disparition d'un être cher.

Mort métaphysique qui nous travaille dans cette mort à nous-mêmes qu'est le temps qui passe pour ne plus revenir, arrachant au passage ce qui est substantiel à nous-mêmes : notre jeunesse.

La jeunesse, c'est le bien suprême que Faust choisit quand Méphistophélès lui propose de formuler le vœu le plus cher au monde qu'il souhaite voir exaucer. « La jeunesse, dit-il, car elle contient tous les trésors! » La jeunesse, car Dieu seul peut la donner, ou le diable quand il prend sa place! Pourquoi la jeunesse exerce-t-elle cette force de fascination, sinon parce qu'elle est éclatement du printemps de l'existence?

Jeunesse, temps des frémissements, temps des fleurs, plus émouvant que le temps des fruits. Temps fragile et paradoxalement triomphant car temps de l'inconscience du temps. Le jeune ne peut pas biologiquement, physiquement, psychologiquement imaginer qu'il va vieillir, croire qu'il va mourir. Voilà ce que j'aimerais illustrer à travers ce poème « Le temps d'être jeune ». Je l'ai déjà publié, mais je le reprends à dessein car un poème édité n'est pas destiné à demeurer figé dans un livre comme une belle vaisselle enfermée dans un buffet, et dont on n'ose pas se servir. Le poème est destiné à vivre, à dire chaque fois qu'il le peut ce qu'il évoque mieux que le discours.

Le temps d'être jeune

C'est beau d'être jeune
Et surtout
C'est immortel
Regardez-la,
Rue de Seine,
Cette fille très parisienne

57

Elle ne porterait pas ainsi
Sa mandoline en bandoulière
Si elle savait qu'elle doit mourir
Mais elle ne mourra jamais
Elle n'a pas encore vingt ans.

C'est beau d'être jeune
Et surtout
C'est immortel
Regardez-le
Rue de Buci
Ce garçon en jean's
Il ne porterait pas ainsi
Son carton à dessin de manière altière
S'il savait qu'il doit mourir
Mais il ne mourra jamais
Il n'a pas encore vingt ans.

C'est beau d'être jeune
Et surtout
C'est immortel
Regardez-les
Rue de Rennes
Enlacés
Cheveux dans l'insolence du vent
Ils ne se donneraient pas le premier baiser de l'amant
S'ils savaient qu'ils doivent mourir
Mais ils ne mourront jamais
Ils n'ont pas encore vingt ans.

C'est beau d'être jeune
Et surtout
C'est immortel
Regardez-les
Sur toutes les routes du monde

Ils n'iraient pas si vite
Trépidants
Sur leurs motos du désir
S'ils savaient qu'ils doivent mourir
Mais ils ne mourront jamais
Ils n'ont pas encore vingt ans.

C'est beau d'être jeune
Et surtout
C'est immortel
Regardez-le
Sur la terre comme au ciel
Ce Dieu vivant
Il ne porterait pas si haut
Sa résurrection
S'il savait qu'il doit mourir
Mais il ne mourra jamais
Car Dieu n'a pas encore vingt ans.

Dieu, c'est beau d'être jeune
Et surtout
C'est immortel
Je te rends grâce pour Ta jeunesse
La jeunesse du Monde
Je te rends ma jeunesse
Je te donne ce que tu me retires
Je te donne ma dernière Nuit de l'Été
Je te l'offre en toute sérénité
C'est beau d'être jeune
Quand c'est demain
Que j'avais vingt ans [1].

---

1. *Psaumes, Poèmes et Chansons*, Centurion.

Mirage du temps où tout s'emmêle, qui se conjugue à tous les temps. Saint Augustin, ce grand contemplatif du temps, disait à sa manière dans ses *Confessions* (XI, 20 à 26) :

> « Ce qui m'apparaît maintenant avec la clarté de l'évidence, c'est que ni l'avenir, ni le passé n'existent. Il y a trois temps, le passé, le présent et l'avenir. Peut-être dirait-on plus justement : " Il y a trois temps : le présent du passé, le présent du présent, le présent du futur. " Car ces trois sortes de temps existent dans notre esprit et je ne les vois pas ailleurs. Le présent du passé, c'est la mémoire; le présent du présent, c'est l'intuition directe; le présent de l'avenir, c'est l'attente. »

Remarque ô combien pertinente, car nous ne pouvons parler du passé et du futur que dans le présent, leur donner une réalité que dans le moment présent où l'on en parle.

Qu'est-ce que le temps? Personne, disait Blaise Pascal, ne peut le dire, mais tout le monde voit bien de quoi il s'agit quand on en parle. De quoi est-il fait, le temps? Est-il relatif seulement à la conscience que nous pouvons en avoir ou a-t-il une réalité objective?

Personnellement, je me représente le temps comme une réalité d'ordre spirituel, correspondant à notre statut de créature finie en relation avec l'infini, avec l'éternité. Pour un chrétien, comment se représenter l'éternité autrement qu'à travers l'image que nous en donne l'Évangile : cet espace d'ordre spirituel qu'on appelle Royaume?

Bergson pense que l'intelligence humaine ne peut appréhender la réalité du temps qu'en termes d'espace, mais un espace dont la mesure échappe à nos moyens d'investigation. Là, je retrouve saint Augustin :

« Mais d'où vient, par où passe, où va le temps, lorsqu'on le mesure? D'où vient-il, sinon de l'avenir? Par où passe-t-il, sinon par le présent? Où va-t-il, sinon vers le passé? Dans quel espace mesurons-nous le temps au moment où il passe? Est-ce dans le futur d'où il vient pour passer? Mais ce qui n'existe pas encore est impossible à mesurer. Est-ce dans le présent par où il passe? Mais on ne mesure pas ce qui est sans étendue. Est-ce dans le passé où il s'écoule? Mais ce qui n'est plus échappe à la mesure.

« D'où il résulte pour moi que le temps n'est rien d'autre qu'une distension. Mais une distension de quoi, je ne sais au juste, probablement de l'âme elle-même. »

Le temps perdu est bien autre chose que ce que nous disons quand nous voulons parler d'un moment mal utilisé, d'un contretemps, un rendez-vous manqué. Le temps perdu, c'est moi perdu dans le temps, perdu dans l'incapacité de revenir au temps jadis. Moi, perdu dans cette impression du temps qui coule entre mes doigts comme une poignée d'eau. Le temps dont j'ai bien du mal à évaluer la consistance, un peu comme un rêve dont on a de la difficulté, une fois éveillé, à rassembler les lambeaux. Le temps s'emmêle dans l'écheveau de nos journées et s'évanouit dans la durée impalpable. En somme, moi perdu dans la hantise de ne pouvoir retenir le temps qui passe. Qui n'a pas éprouvé cette nostalgie du temps que déjà, à l'avance, on projette dans le souvenir parce que l'on a conscience de ne pas pouvoir le fixer dans le présent? Ainsi, contemplant un paysage éblouissant de beauté au cours d'un voyage que l'on ne refera plus, on reste là à le contempler intensément, sans pouvoir se résoudre à le quitter des yeux, à partir. Bien sûr, on peut le photographier pour le coucher ensuite sur du papier,

61

le voir sur un écran, et croire qu'on l'immortalise. Personnellement, je préfère jouir de l'éphémère en ce qu'il a d'exceptionnel, précisément parce que l'on ne peut pas se l'approprier. Alors je mémorise le paysage dans tous ses détails. Je reste là longtemps, longtemps, minute après minute, pour me couler dans l'évolution de la lumière et voir comment disparaît ce qui ne reviendra plus. Je ferme les yeux. Je vois tout, autrement. La prière vient. Elle fixe dans l'adoration le temps qui passe et devient en elle moment d'éternité.

Cette impression d'éternité, je l'éprouve avec une acuité particulière quand le temps chavire lors des changements de saison. Comment évoquer cet étrange sentiment du temps qui nous échappe à l'instant même de sa plénitude, de son zénith au solstice d'été, quand déjà le jour va baisser, et pire encore à l'équinoxe d'automne ? Je ne vois que le poème pour suggérer l'indicible : cette frustration de l'éternité par l'insaisissable durée qui nous fuit...

Nuit de juin

Senteurs de parc qui voyagent Parfums de genévriers plus forts que bruits éteints d'une nuit de Juin attisant la volupté du temps hors de lui Goût de nuit Douceur chaude d'un minuit éternel Ville immobile Voir clair et noir Ne plus rien attendre Ne plus partir Demeurer Toucher le désir assouvi de permanence Être endormeur d'intemporel Ne pas apeurer l'éphémère Filer les étoiles dans le tissage des galaxies Sourire à la lune vagabonde Se mentir à soi-même dans l'ivresse de la fugacité trompée Évanescence Déjà L'espace de l'instant se fêle dans l'arrachement du jour Aurore ruse de l'espoir

Jour de septembre

Septembre se prélasse dans une apothéose de bleu   Les corps en fête chantent encore les rivages d'îles heureuses   Planent les rêves de solstice à jamais   Les sursauts de l'été n'empêchent pas le soleil de mourir   Vigne vierge à feu et à sang   Érables de braise   On sait la fatalité des jours qui tombent   Mais pourquoi ce jour-là plutôt qu'un autre?   Pourquoi aujourd'hui les nuages s'affolent dans leurs caprices d'équinoxe?   Renverse du ciel   Le temps tire ses bords   Nul port   Naufrage du désir

AFFRONTER AUTRUI

Affronter avec humanité

Dans les conflits qui nous opposent à autrui, tout notre être est engagé. Quand on est en état d'hostilité dans sa famille, au travail, avec des voisins, des amis devenus ennemis, tout s'en ressent. Le corps d'abord.

Des expressions telles que « On en a plein le dos » disent combien le corps réagit : « Mon sang n'a fait qu'un tour! » L'intelligence alors risque de se brouiller, la volonté de s'annihiler, le conflit devient vite passionnel.

Il convient d'abord de dépassionner le débat. Condition préalable pour se mettre en état de vivre un conflit avec un minimum de sérénité. Cela suppose que l'on envisage l'adversaire non pas fatalement comme un ennemi irréductible, mais de façon sportive : aborder le conflit tel un match; considérer l'adversaire sinon comme un partenaire, au moins, dans la partie à jouer, comme un concurrent que l'on respecte; ne pas l'enfermer dans une position où on le condamne à être l'ennemi. Attitude positive qui relève pour une part de la psychologie, mais aussi d'une certaine éthique et, pour le chrétien, tout simplement de l'Évangile. Dans cet esprit, se concilier l'adversaire c'est prendre garde à ne pas se le mettre à dos. Il s'agit donc d'aller vers lui, faire le premier pas afin de ne point laisser envenimer la situation. Au besoin, faire appel à d'autres, selon la recommandation de l'Évangile sur la correction fraternelle :

> « Si ton frère vient à pécher, va le trouver et fais-lui tes reproches seul à seul. S'il t'écoute, tu auras gagné ton frère. S'il ne t'écoute pas, prends encore avec toi une ou deux personnes pour que toute affaire soit décidée sur la parole de deux ou trois témoins. »
>
> *Mt 18, 15-16*

Comment donc, dans le concret des disputes de la vie quotidienne et des dissensions au plan collectif, affronter de manière sereine les obstacles du conflit qui semblent imparables? A la lumière de principes et conseils sans cesse répétés — mais peut-on les passer sous silence sous prétexte qu'ils sont des lieux communs? — tentons de déminer le terrain en nous limitant à trois situations conflictuelles typiques.

Conflit de couple

Quand en hiver, la nuit tombée, je rentre de voyage en train, alors que déjà ralentissant, il longe les banlieues enveloppées de cette pollution lumineuse des grandes villes qui embrase un ciel de brume rougie, je regarde hypnotisé. Que se vit-il derrière ces myriades de fenêtres éclairées? Tant de vies parallèles si semblables et diverses! Quelles difficultés? Argent, enfants, travail inintéressant, chômage, fatigue, maladie, inquiétude, mésentente? Ce poids de la vie n'est-il pas le plus souvent la cause lointaine, la cause première des conflits?

Dans le couple, les conflits du quotidien naissent souvent d'abord de vétilles qui s'enveniment, d'énervements qui exaspèrent. L'usure s'installe, des fissures se creusent. L'érosion de la quotidienneté arase la relation au niveau de la plus grande platitude. On n'a plus grand-chose à se dire. Problèmes de robinetterie, dernier coup pendable du gamin, enquiquinements avec le voisin.

Les causes de conflits ne se limitent pas à ce poids du jour qui finit par étouffer l'amour. Il y a bien sûr l'incompatibilité d'humeurs, le mauvais caractère de celui qui prend systématiquement le contre-pied de l'autre, l'humilie. D'autres causes sont plus saignantes, quand, par exemple, l'un des conjoints découvre que l'autre le trompe. D'autres encore sont plus subtiles. On attend tellement de l'autre qu'inévitablement on ne peut que perdre ses illusions, être traumatisé par ce qui rend l'amour impossible.

Ces causes de conflits ne se situent évidemment pas au même niveau de gravité. Quel que soit leur enjeu, on en revient toujours aux mêmes lieux communs : il faut se parler, mettre à nu les difficultés, s'affronter dans le dialogue, savoir attendre le bon moment pour aborder un sujet brûlant. Quand le dialogue s'amorce, ne pas mettre de l'huile sur le feu par des mots malheureux, ne pas éteindre la mèche qui fume encore. Ce qui véritablement réduit le dialogue en cendres, c'est la mauvaise foi.

La mauvaise foi appartient à la catégorie du mensonge

plus ou moins conscient. On s'invente des raisons qui n'en sont pas pour se justifier et avoir raison. Cette attitude procède souvent du mouvement irrationnel de la peur. On redoute de perdre la face, d'être mis en échec par l'autre. On se persuade alors d'être dans le vrai en mettant en avant d'autres causes que celles qui sont à l'origine du drame. La mauvaise foi peut devenir perverse quand on sait que l'on se ment à soi-même en trompant l'autre. Elle en arrive même à être caricaturale, comme ce fut le cas, par exemple, pendant la guerre du Golfe, en 1991. Saddam Hussein proclamait que sa défaite était une victoire éclatante, alors qu'il se savait pertinemment écrasé. Voilà à quoi mène la mauvaise foi : un aveuglement misérable, une bêtise incommensurable. Quand, toutes proportions gardées, dans le couple, on en arrive là, il est évident que les deux parties sont victimes. Prises dans les filets de cette tactique, elles ne savent plus comment s'en sortir.

Que faire pour éviter que le conflit ne dégénère? Tout d'abord ne pas considérer la crise comme fatalement insurmontable. « Le pire n'est pas toujours sûr », donne comme sous-titre, au *Soulier de satin,* Paul Claudel.

— Changer d'appartement! Assurément, changer de cadre peut aider à sauver les meubles. Est-ce suffisant pour repartir sur des bases nouvelles? Car c'est bien cela qui s'impose : refaire les fondations de l'édifice intérieur du couple. Refonder le foyer!

— Se changer les idées! Faire un voyage! Partir! Partir loin! Oublier! Dérivatif qui peut s'avérer profitable à court terme. A long terme, il n'empêchera pas l'embarcation conjugale de dériver, de se planter sur les récifs de ses limites, si l'on ne repart pas en soi-même sur des bases totalement nouvelles.

66

— Faire un enfant! Le nombre de couples qui divorcent après avoir sombré dans cette illusion! Il s'agit d'abord de s'enfanter soi-même à une vie nouvelle, d'enfanter en soi l'amour dont l'enfant est le signe et non pas le prétexte, encore moins le moyen d'équilibre.

De ces quelques remarques, il ressort que le règlement des conflits se situe à l'intérieur de soi. C'est trop évident qu'il ne suffit pas de changer de mode de vie pour changer la vie.

Conflits de société

Les conflits ne se limitent évidemment pas aux querelles entre personnes. Les conflits de société marquent notre vie quotidienne. Ici, des grèves; là, des manifestations; mais aussi exactions de toutes sortes et guerres qui ensanglantent la planète. Que pouvons-nous faire face à ces conflits collectifs qui nous dépassent? Certains sont clairs et nets : ils justifient — pour l'honneur d'être un homme et la sauvegarde de sa liberté — que chacun participe à sa mesure à un combat sans merci (par exemple la résistance au nazisme pendant la Seconde Guerre mondiale). D'autres sont plus ambigus, avec des enjeux discutables comme cette guerre « pas drôle » d'Algérie, baptisée pudiquement « maintien de l'ordre », « opération de pacification », alors que l'on se battait, on s'entre-tuait, on torturait.

Pour ne pas rester dans le vague, je voudrais simplement évoquer comment — mobilisé pour cette guerre — j'ai essayé de me battre au moins sur un point : l'ambiguïté inhérente au conflit. Il a d'abord fallu que je lutte intérieurement pour concilier le loyalisme vis-à-vis de mon pays et la loyauté avec mes convictions les plus fortes :

67

je n'étais pas d'accord avec cette sale guerre. Incorporé dans une unité de commandos noirs héliportés, je me suis résolu à faire pratiquement de ce temps d'armée ce qu'il est théoriquement : un service, fût-il militaire!... Par la façon dont nous avons réagi, plusieurs de mes camarades et moi-même, devant les exactions françaises vis-à-vis des fellaghas et populations algériennes, effectivement nous avons rendu service... Et quand on a exigé que je torture pour obtenir des renseignements, j'ai dit non. C'était un risque... Mais alors, l'Évangile prit en moi toute sa force. Ses paroles de feu : « Que votre oui soit oui! Que votre non soit non! » furent la révélation concrète qu'on n'a rien à perdre devant la sérénité intérieure à sauvegarder : celle qui se fonde sur la fidélité avec soi-même en Dieu. « Mieux vaut obéir à Dieu qu'aux hommes! » Ce fut respecté... Il faut dire que j'avais l'avantage de bénéficier de l'autorité morale de mon état de séminariste-soldat. De ce fait, on ne m'a jamais forcé la main. On m'a même demandé de m'occuper des suspects qui étaient interrogés et torturés. J'ai dû assister à des scènes de boucherie que je ne raconterai pas ici. Après ces séances de torture, à moi de m'occuper des victimes, de me débrouiller pour leur trouver à manger.

Je me suis rendu compte d'une autre forme d'ambiguïté : j'étais « récupéré ». Dans ce bataillon, on savait qu'il y avait un « curé » (séminariste ou curé, c'était pour certains du pareil au même) qui s'occupait très bien des prisonniers. Effectivement, dans ma naïveté, je ne percevais pas que mon attitude donnait bonne conscience à ceux qui exploitaient mon humanité. Ils étaient « dédouanés »!

Jamais je n'aurais cru qu'il fût possible que l'homme devienne inhumain pour l'homme. Je fus sidéré de voir quelques-uns de mes camarades — sains et bons copains — après une embuscade où plusieurs avaient été tués par les fellaghas, devenir littéralement enragés, prenant en otage un innocent pour se venger, et le torturer. Voilà la pire horreur du conflit : ne plus voir dans l'ennemi un frère, un homme. Pendant cette période, comme jamais, j'ai médité sur l'amour des ennemis comme seule issue possible à ces conflits auxquels nous sommes affrontés et qui nous dépassent.

DÉPASSER LE CONFLIT : L'AMOUR DES ENNEMIS

Quand le conflit — qu'il oppose des personnes prises individuellement ou des groupes — engendre la haine, celui à qui « vous en voulez » devient un ennemi déclaré. Pour exorciser l'hostilité que vous avez envers lui et qu'il vous rend bien, le Christ ne demande rien moins que de l'aimer. C'est fou. Ce n'est pas naturel. C'est impossible. D'instinct, nous sommes révulsés par l'offense qui nous est faite. L'injure nous atteint de manière viscérale : « Je ne peux pas le sentir. Je ne peux pas le voir. Il me dégoûte! » Le « C'est plus fort que moi » que nous disons spontanément montre à quel point la raison ne parvient pas à mettre au-dessus d'elle ces pulsions incontrôlées, mais aussi ce fait qu'aimer son ennemi est une aberration au regard de la raison.

Je sais bien qu'il faut distinguer le mal qui nous est fait et celui qui le fait. Mais comment ne pas assimiler l'offense à celui qui offense? Le mal qu'on nous inflige colle à la peau de celui qui en porte la responsabilité. Le mal n'est pas une abstraction. Comment ne pas détester le visage qui le porte, sinon en délestant notre sensibilité de ce qui est du ressort de l'affectivité blessée? Aimer ses ennemis ne veut pas dire éprouver pour eux de l'affection, avoir l'hypocrisie de leur témoigner de la sympathie, leur faire des risettes.

• Aimer ses ennemis, pour un chrétien, c'est d'abord *une question de volonté :* se décider petit à petit à les regarder comme le Christ les regarde. Entendons-nous : volonté désirante, volonté voulante, ouverte au vouloir de Dieu, et non pas volonté volontariste et rigide. Elle serait alors crispée. Or, précisément, il s'agit d'accommoder notre regard à celui de Dieu pour voir dans l'ennemi un frère. Vision divine en nous-mêmes que rend possible la prière. Elle purifie. Elle apaise. Elle rassérène. Elle corrige la myopie qui consiste à ne voir que le mauvais côté du méchant. La prière nous donne d'espérer le voir s'amender, et finalement de l'aimer comme Dieu continue à l'aimer, comme il nous demande de l'aimer.

• Aimer ses ennemis, c'est alors *une question de fidélité* à l'ordre que Dieu nous intime : « Aimez vos ennemis! » Remarquez-le bien, c'est un impératif. Jésus aurait pu dire, comme dans les Béatitudes : « Bienheureux ceux qui aiment leurs ennemis... » Non, c'est un ordre, un peu comme pourraient en donner des parents qui demandent quelque chose d'extrêmement difficile à leur enfant. Pour éviter toute discussion, ils disent simplement : « Fais-le, tu comprendras plus tard! »

Maintenant que le Christ est venu, il est temps de comprendre que cet ordre de Dieu n'a rien d'autoritaire. C'est celui de l'amour.

• Aimer ses ennemis, c'est fondamentalement *une question d'amour.* Seul l'amour que nous avons pour le Christ peut nous amener à dépasser notre répulsion naturelle envers ceux qui nous maltraitent. Cet amour prend sa source dans celui que Dieu lui-même a témoigné sur la Croix en pardonnant à ceux qui l'ont hué, bafoué, injurié, torturé, crucifié : « Pardonne-leur », dit-il à son Père, du haut de la Croix! Et d'ajouter : « Ils ne savent pas ce qu'ils font! » Bien sûr, les bourreaux savaient pertinemment qu'ils lui faisaient mal, que leur métier était de faire du mal, mais ils ne pouvaient pas réaliser que cet homme battu par eux était le Fils de Dieu. Il est évident que nos éventuels ennemis savent bien le mal qu'ils nous font, mais réalisent-ils jusqu'où nous sommes atteints?

Seule la force de l'amour peut donner l'audace, l'héroïsme de faire ce que des parents ont fait : aller embrasser l'assassin de leur fille qu'il avait violée, pour lui témoigner que désormais pardonné — tout était accompli, selon la parole même du Christ en Croix — il pouvait donc vivre! Peut-on, sans être envahi par la sérénité que seul produit l'amour, en arriver à dépasser sa rancœur la plus profonde, son désir de vengeance, et peut-être de tuer soi-même?

• Aimer ses ennemis, c'est donc en fait *pardonner* : donner davantage en amour que ce que l'autre a donné en cruauté. Pardonner, c'est gratuit. Rien d'autre ne justifie le pardon que l'amour. Le passage de la haine à un surcroît d'amour, c'est le passage de la mort à la Résurrection. Pardonner, c'est toujours mortifiant. Pardonner, c'est toujours crucifiant. Pardonner, c'est toujours vivifiant. Dieu nous donne alors ce pouvoir fabuleux de faire ce qu'il a fait : être en mesure de ressusciter — ressusciter — une vie nouvelle à celui qui s'enferrait dans une mort sans issue; faire vivre autrement celui qui, d'ennemi, peut devenir ami. En pardonnant les offenses qui nous sont faites comme Dieu nous les pardonne à nous-mêmes, nous participons à son action invisible dans notre monde pour un monde tout autre. Le pardon qui sauve de la haine devient créateur d'une terre nouvelle.

• Pardonner, en fin de compte, aboutit à se réconcilier. On ne peut pas se contenter de dire : « Je lui pardonne, mais c'est fini! Je ne veux plus le voir! » La réconciliation est au contraire l'art de se revoir autrement, de s'entendre, de s'accorder, de s'aider pour s'aimer. En famille, entre amis, il peut arriver quelques accrochages, des incompréhensions, des bévues, des ingratitudes. Pourquoi se fixer seulement sur ces griefs alors que ceux à qui l'on reproche un méfait ont été tout autant, en d'autres circonstances, généreux, dévoués, amicaux? Se rappeler ce qui a été bon aide grandement à pardonner ce qui est moins bon.

Se réconcilier suppose qu'on en finisse avec les reproches pour que tout recommence au sens le plus strict du terme : « de nouveau ». Repartir sur des bases nouvelles! C'est une des leçons de la magnifique parabole de l'enfant prodigue en saint Luc. On peut dire que le père est un prodige de miséricorde, précisément parce que le pardon qu'il accorde à son enfant est comme un cadeau de pure tendresse et non pas une leçon de morale avec réprimande. Mais je vois un autre aspect, tout aussi important, essentiel à cette parabole, et qu'à ma connaissance on signale rarement comme une des leçons de cet évangile : la patience s'impose pour pardonner. Il faut du temps! On n'y parvient pas du premier coup.

Il peut paraître curieux que ce père n'ait pas fait de démarche pour savoir ce que devenait son fils, où il était. Cela d'autant plus que l'Évangile préconise à l'offensé de faire le premier pas vers l'offenseur. Il semble, d'après le texte, que le père reste sur place à attendre. Peut-être direz-vous : « Il était trop vieux pour courir après lui, aller au-devant de lui. Il voulait respecter sa liberté! »

Certes, mais qui vous permet d'imaginer que ce père était vieux? Le texte ne le décrit pas ainsi. Est-ce Rembrandt qui, dans son admirable tableau, le représente comme un vieillard davantage grand-père que père? Cette question de l'âge n'a d'intérêt que dans la mesure où elle nous incite à réaliser que — jeune ou pas jeune — il faut laisser au temps... le temps d'opérer ce qui lui appartient à lui seul : cicatriser la blessure de l'offense. Ce facteur temps nous permet alors de distinguer le retentissement affectif que l'on ressent encore et ce qui, relevant de l'acte de foi, est amorcé, sans que l'on puisse en éprouver psychologiquement la satisfaction. On peut très bien être en chemin de pardon et déjà pardonner sans avoir pu encore se débarrasser des séquelles du tort causé. Car pardonner n'est pas oublier. Il ne m'appartient pas d'être amnésique.

De plus, il s'impose de bien distinguer ce qu'il est possible de vivre au sein d'une relation strictement individuelle, et ce qu'il n'est plus possible de tolérer au plan des communautés, des nations, quand le bien commun, la dignité humaine ont été bafoués. Je pense aux crimes contre l'humanité, aux horreurs des génocides, des camps de concentration. En mémoire des martyrs, ne pas faire mémoire de ce qui est ignoble et pourrait se reproduire, serait trahison, serait lâcheté. A ce propos, Jankélévitch écrit : « Lorsqu'un acte nie l'essence de l'homme en tant qu'homme, la prescription qui tendrait à l'absoudre au nom de la morale contredit la morale... Le pardon est mort dans les camps de la mort [1]. »

Pardonner n'est pas innocenter, comme si rien ne s'était passé. Pardonner n'est pas gommer. Le pardon ne dispense

---

1. *L'imprescriptible, pardonner? Dans l'honneur et la dignité,* Seuil – 1986, cité par Paul Valadier, *Les Études,* juillet 1992.

pas de sanctionner. « Qui aime bien, châtie bien », dit avec raison le dicton, car punir manifeste que l'on considère l'homme comme un être responsable de ses actes. Punir est d'autant plus à l'honneur de l'homme quand la punition méritée provoque une réparation intelligente et humaine. L'Église elle-même, qui prêche le pardon, sanctionne et demande au pécheur repenti de faire pénitence, de réparer. Mais comment réparer quand le mal est fait de manière irrémédiable? On ne peut redonner vie à des petits enfants qui ont été violés et assassinés! Comment punir et donner la possibilité de réparer de façon pédagogique, de telle sorte que le *mal*faiteur ait des chances de s'élever au point de devenir *bien*faiteur?

Il restera toujours que nous ne pouvons pardonner qu'à l'image de Dieu. Lui seul sait pardonner parce que Lui seul peut remettre les péchés. Lui seul sait pardonner parce que Lui seul sait aimer comme on n'a jamais aimé. Dire à Dieu : « Pardonne-nous nos offenses *comme* nous pardonnons à ceux qui nous ont offensés », ne signifie pas dire que nous, pauvres humains, nous nous prenions comme modèles, mais simplement :

Seigneur
puisque nous essayons de pardonner
de notre mieux!
Toi sois pour nous
Miséricordieux.
Pardonne-nous le reproche
qu'il nous arrive de te faire :
celui de la souffrance!

« Méchant... t'es un méchant, papa! » vocifère un petit garçon en trépignant. Et pourquoi? Son père, tout sim-

74

plement, vient de lui interdire de se pencher au bord du fameux bassin du Luxembourg où une ribambelle de petits enfants jouent avec leurs bateaux. Ce petit garçon ne comprend pas, ne veut pas comprendre, qu'il peut tomber dans l'eau. Il se rebelle. Déjà en conflit avec son père! Son père agit de la sorte parce qu'il l'aime, parce qu'il veut son bien. Plus d'un chrétien ressemble à ce petit garçon dans sa relation au Père des Cieux.

Devant la souffrance qui nous accable, nous avons bien de la peine à faire le tri dans ce genre de subtilités : Dieu ne veut pas le mal, il le permet, il le tolère. L'incroyant, lui, n'entre pas dans ces nuances. Il s'écrie : Dieu pervers!

Le chrétien affronté à l'incroyance, par amour de ses frères, se fait l'avocat du diable, pose quelques questions à Dieu. Tout cela prend l'apparence d'un conflit. Rien de honteux à sortir du type de discours complimenteux de nos prières d'action de grâces, comme si tout était merveilleux, comme si, pour plaire à Dieu, la louange ne devait être que flatteuse... Comme si on s'adressait à une idole. Mais Dieu n'est pas de bois! Il peut comprendre qu'on lui fasse des reproches. Le conflit est alors bénéfique : la foi en sort purifiée, agrandie, approfondie. Conflit qu'engendre la souffrance...

LA SOUFFRANCE
Dans l'attente de la fin des temps

L'un dans l'autre...

C'était un certain été en Chine. Je venais d'être hospitalisé en urgence. La violence de la douleur qui m'avait subitement terrassé avait régressé. J'étais sous le coup des anesthésiants. J'avais l'impression de ne plus avoir mal ou presque. Seule l'aiguille de la perfusion me brûlait. Je me trouvais dans une de ces chambres convenables réservées aux personnalités de la *nomenklatura* et concédées aux étrangers. L'atmosphère était irrespirable tant la chaleur était étouffante. Tout était moite. Les murs de la chambre suintaient. De ma fenêtre ouverte barricadée par une pauvre moustiquaire rapiécée, j'entendais les gémissements lancinants des petits enfants hospitalisés dans le pavillon voisin. Comme une vague recouvre une autre vague, leurs râles me parvenaient, les uns entrecoupés comme des hoquets de bébés, les autres prolongés. Ils me transperçaient l'âme. Qui n'a pas entendu ces suffoquements d'enfants ne peut réaliser jusqu'où s'enfoncent les ténèbres de la souffrance. Hormis cette longue plainte qui m'enténébrait davantage que l'interminable nuit mouillée d'humidité chaude, traqué par une noria de moustiques, j'éprouvais un calme étrange en la circonstance.

Il faut dire que la gentillesse du personnel soignant m'a énormément aidé. La guide-interprète, dans un silence maternel, était à mon chevet. Elle veillait. Toutes les heures, je voyais une jeune infirmière aux yeux d'ébène, deux petites amandes, se pencher sur mon visage, vérifier la perfusion, prendre la tension, remettre le drap du dessus dont la sueur me gênait pour elle. La barrière de la langue était comme rompue tant ce regard chinois tendre et lumineux, venant de l'autre bout du monde, entrait en moi-même pour me dire ce que la parole ne dit pas. Et puis je savais que mes amis du voyage ne m'abandonneraient pas. A ma sortie de cet hôpital, ils me demandèrent tout de même si je n'avais pas été trop angoissé à l'idée de me trouver seul, si loin. Ils n'osaient pas me questionner davantage : « Avais-je eu peur de mourir? Mourir en pays inconnu. Mourir à Xian... » Franchement non. Mourir n'est rien. Le tout, c'est de souffrir.

Après coup, je me rends compte — alors que trop souvent je suis anxieux pour des détails — combien je fus dans un état de tranquillité déconcertante. Tout m'était égal. Peut-on appeler sérénité ce qui est indifférence à soi-même? A quoi tenait cette sérénité qui m'a habité? A la grâce d'être détaché de ce monde, val de larmes? Au désir inavoué d'en finir, à l'espoir de m'en tirer ainsi avec la vie? Pourquoi pas? Mais plus immédiatement, à l'effet produit d'une chaleureuse humanité à laquelle je ne m'attendais pas. Cette qualité d'accueil a été déter-minante, cette découverte du charme chinois fait de dis-crétion, de réserve, d'attention, et surtout la compassion éprouvée pour ces enfants endoloris ont beaucoup joué pour la sérénité. La solidarité dans la souffrance avec ces petits enfants chinois a contribué à me sortir d'un égocentrisme où je serais resté replié sur moi-même. Quand on souffre, on a besoin des bien portants, plus encore peut-être de ceux qui savent ce que c'est que de souffrir. Ils nous aident à porter notre propre souffrance.

Puisque — ce fut la leçon de ce voyage en Chine — l'un dans l'autre souffrance et sérénité doivent et peuvent cohabiter dans le lot d'existence que Dieu nous réserve, essayons de regarder, d'affronter la souffrance pour dépasser ce qu'elle a d'inhumain, d'antidivin. Soyons réalistes : puisqu'on n'échappe pas à ses griffes, efforçons-nous de souffrir en homme — comme un homme — et non comme une bête. Souffrir en se grandissant s'il est possible, alors que la souffrance a quelque chose de diminuant. Facile à dire. Regardons ce qu'il en est.

REGARDER LA NUIT

Sans l'ombre d'un doute?

De tout temps, les hommes ont cherché à comprendre pourquoi le malheur s'abattait aveuglément sur eux, à savoir de quelle manière conjurer le sort. Pour ne s'en tenir qu'à l'antiquité grecque, on sait comment les notables de Delphes s'adressaient à Apollon, dieu de la divination, par l'intermédiaire de la Pythie, la prophétesse. En transe, elle délivrait des messages à l'état de borborygmes. Et c'était aux prêtres que revenait le difficile ministère de déchiffrer et interpréter ses propos incohérents. On exige

de la Religion – quelle qu'elle soit – d'expliquer l'inexplicable.

J'ai l'impression qu'aujourd'hui encore, à nous prêtres
et théologiens, on demande toujours de délivrer des oracles-
miracles qui pourraient justifier l'injustifiable. Des milliers
d'écrits ont été publiés sur la souffrance. Chacun y va de
son couplet. On en revient toujours au même. J'annonce
donc d'emblée la couleur. Couleur noire de la souffrance
que l'on s'évertue – tant bien... que mal – à faire virer
à celle de la verdeur de l'espérance. Couleur du mystère
insondable d'un Dieu bon qui laisse faire, laisse couler...
Constat qui engendre des attitudes opposées. Il est bon
de discerner ce qu'elles recouvrent : révolte, foi tranquille,
foi aveugle qui s'imagine très chrétienne parce que sans
l'ombre d'un doute, foi traversée par le doute, foi adulte
qu'est le doute surmonté de celui qui, au-delà de ses
doutes, se doute qu'il y a autre chose...

Son propre malheur...

Est-il possible d'être serein quand la souffrance vous
étreint? La sérénité, n'est-elle qu'un trompe-l'œil pour
camoufler la cruauté du destin que l'on assume en stoïcien? Relève-t-elle de la méthode Coué? Ne faut-il pas
commencer par regarder dans quelle mesure il nous arrive
de faire notre propre malheur, par exemple en menant
une vie impossible, en faisant le contraire des conseils
que l'on peut vous donner? C'est terrible de voir s'en-
foncer peu à peu dans le gouffre ceux que l'on aide à
s'en sortir, alors qu'on demeure impuissant, à les voir se
nuire quand ce n'est pas se détruire. Je pense à tous ceux
que j'ai tenté d'accompagner, drogués, tous les « travestis
de la vie » – pas seulement au sens physique! – et puis

ces déprimés, suicidaires, chômeurs dans la débine, gens qui en toute bonne conscience s'imaginent faire ce qu'il faut faire alors que dans leur inconscient — déterminé par quoi? — ils font l'inverse. Et combien de goulus de l'existence vont au-devant d'une souffrance qui, tôt ou tard, hypothéquera leur sérénité pour toujours : fumeurs invétérés qui se préparent un cancer du larynx; grossistes en cholestérol, habitués des bonnes et grandes bouffes, sans compter les fous du volant qui se retrouvent en fauteuil roulant.

Ainsi, pour une part, nous pouvons être responsables de notre malheur, libres d'être malheureux! Mais si certains récoltent ce qu'ils sèment, d'autres sont victimes d'un arbitraire qui les frappe aveuglément. Nos propres limites et échecs qui ne tiennent pas à nous, les grandes déceptions d'une vie, les trahisons, l'ingratitude, les deuils, les séparations, tous les coups durs qui nous brisent moralement ne sont pas forcément de notre fait. Pourquoi cette maladie m'arrive-t-elle à moi? La rébellion couve devant la fatalité. Ce genre de phrase me fait bondir : « Il faut bien avoir quelque chose. » Au nom de quoi, au nom de qui, cette soumission passive à des forces obscures imaginaires? Je préfère dire : « On n'a pas le choix. C'est la vie! » Comment affronter l'arbitraire de la souffrance?

AFFRONTER LE TRAGIQUE DE L'EXISTENCE

L'homme révolté

Quand tout va bien, la sérénité va de soi. Naturellement. Quand tout va mal, quand le mal fait mal, quand on a du mal à vivre, la sérénité s'épuise. Comme la patience, elle a ses limites. Rien ne sert de violenter sa volonté, d'abuser de son surmoi, de faire semblant. Il arrive un moment où tout peut craquer. Plus on est fort psychiquement, plus dure est la chute. Mieux vaut prendre ses dispositions pour que cette fleur du mal qu'est la souffrance n'empoisonne pas l'existence. Que dire? Faut-il dire?

« J'ai lu tous les livres... » Et je ne le sais que trop : la souffrance est triste, « triste à en mourir ». A tel point que le Fils de Dieu lui-même, à Gethsémani, a connu la déréliction. Alors, peut-on parler de la souffrance? La réponse est non. A quoi bon? Chacun est seul, très seul, trop seul, à savoir ce qu'il souffre. On ne peut que respecter la dignité de cette solitude inviolable. Cependant l'homme, par l'une de ces contradictions qui est propre au cœur humain, ne peut s'empêcher d'en parler. Pas forcément par des paroles mais par des « cris et chuchotements ». Cris jusqu'à hurler. Cris sourds. Qui entend? Le Psalmiste prie : *« De profundis... »* : « Des profondeurs de ma détresse, je crie vers Toi, Seigneur, écoute mon appel! » Qui dira s'il entend, ce qu'il entend? Cri de la foi. Cri de révolte aussi. Mais à qui s'en prendre? Cri d'épuisement. Cris dans le vide. Longue plainte irriguée de larmes. Complainte de la Nuit.

Comment pratiquement affronter la souffrance comme un mal à combattre, et d'un point de vue « mystique » pour le chrétien, comme le mystère le plus douloureux de sa foi? La souffrance nous meurtrit physiquement en ce que nous avons de plus charnel et, métaphysiquement, en ce point le plus spirituel de notre être de baptisé : notre ordination à un Dieu d'Amour, Dieu Providence, Dieu Sauveur. Au regard de cette foi baptismale, l'incroyant qui accepte de dialoguer est littéralement scandalisé. Je ne parle pas là, bien sûr, de l'incroyant de service que l'on récupère pour nos gentils collègues catholiques, mais de l'incroyant cohérent qui bouleverse la logique de nos arguments théologiques par la lucidité de ses objections. Si donc nous voulons ne pas nous payer de mots dans ce fameux dialogue avec les incroyants, témoignons que nous sommes capables d'écouter le bien-fondé de son bon sens. Bon sens massif qui met en pièces les arguties les plus subtiles de nos sermons s'évertuant à disculper Dieu du scandale de la souffrance qu'on lui reproche. Scandale, oui, car selon la logique même de la foi en Dieu tout-puissant et plein de bonté, on n'arrive pas à comprendre qu'il puisse, pour des raisons qui nous échappent, permettre que la souffrance massacre des innocents. Ainsi l'argument massue de l'incroyance n'a pas fini de s'imposer. On le connaît! Si Dieu existait, il ne pourrait tolérer cette masse de souffrance qui brise tant d'existences humaines. Et s'il existe, me disait un ami incroyant, c'est évident : il ne peut être que méchant. Le poète Byron, lui, est moins violent. Mais son objurgation revient au même : « Ô toi, Dieu éternel, dit-il dans *Les deux Foscari,* comment peux-tu rester calme en présence d'un monde tel que celui-ci? »

Pourquoi, depuis le temps, ce massacre des Innocents sans comparaison avec celui dont Jésus a échappé à Bethléem : ces nouveau-nés qui naissent atteints de mucoviscidose? Ces myopathes qui meurent adolescents? Ces petits êtres difformes, débiles, monstrueux?

Pourquoi des adultes connaissent-ils d'inhumaines maladies? Pourquoi – simplement en France – toutes les quatre heures, un homme ou une femme âgé de 20 à

30 ans plonge dans l'inéluctable dévastation de la sclérose en plaques?

S'il est vrai que Dieu est créateur souverain et que « rien de ce qui existe, comme dit saint Jean, n'existe sans Lui », pourquoi le monde paraît-il si mal fait? Pourquoi ces « ratés » dans la conception génétique qui meurtrissent toute une vie? Pourquoi ces virus qui s'abattent sur des innocents? Pourquoi cette souffrance? Les chrétiens prétendent qu'elle n'est pas inutile. Dieu s'en sert pour vérifier l'amour que ses créatures ont pour Lui! Vous voyez, vous dit l'incroyant, un père laisser son enfant souffrir sous prétexte de voir jusqu'où ira l'affection de son petit? Curieux, n'est-ce pas, que le Père des cieux n'ait rien trouvé de mieux que la souffrance comme preuve d'amour... On dit que Dieu éprouve ceux qu'Il aime!

J'entends les chrétiens chanter : « Seigneur, que tes œuvres sont belles! »

Quand il s'agit d'admirer de beaux paysages, facile à chanter... Quand on voit tant de visages humains défigurés par tout ce qui dans la création les martyrise, plus difficile... Si au moins les chrétiens acceptaient de ne pas fermer les yeux sur le pourquoi de la souffrance!

> « Je t'en prie, ô Dieu, ne reste pas muet,
> plus de repos, plus de silence, ô Dieu!
> Vois, tes ennemis en profitent!
>
> *Ps 83*

En écho à la voix de Jésus qui, devant le tombeau de Lazare, a poussé ce cri défiant la mort : « Sors! », moi aussi je t'implore :

> « Dieu, ma louange, sors du silence! »
>
> *Ps 109*

Plusieurs types de réponses. Ce n'est pas Dieu qui veut la souffrance. Il ne veut pas en être le maître. Mais s'il en est ainsi, pourquoi au moins n'en est-il pas maître, Lui, le Dieu tout-puissant : « Dis seulement une parole, Toi la Parole, et l'humanité sera guérie. A jamais! » Rien ne peut justifier la souffrance, ni ce qui voudrait être une *explication* — le péché à l'origine et la liberté humaine de pouvoir choisir le mal — ni ce qui en principe est pour les chrétiens une *consolation* : donner à la souffrance le sens salvifique que le Christ lui a conféré par sa croix. La belle avance, se gausse l'incroyant logique. On ne demande pas à Dieu de donner un sens à la souffrance, mais de la supprimer. Voilà qui eût été plus intéressant et qui eût rendu crédible un Dieu tout-puissant! Et que signifie donner du sens à ce qui est mal? N'est-ce pas un non-sens de la maintenir? Pourquoi? A cause du péché? Il semble que le péché a bon dos. Peut-il à lui seul expliquer l'ampleur des malheurs qui accablent tant d'innocents? Et, en définitive, que savons-nous de lui?

Que va répondre le chrétien? Cette appellation de péché originel — il faut bien l'avouer, appellation pas très bien contrôlée encore par les exégètes et les dogmaticiens — date seulement du Ve siècle, avec saint Augustin qui l'a imposée à la Tradition chrétienne. Saint Paul, le fondateur de l'idéologie chrétienne, se contente de faire ce parallèle : « De même que le péché est entré dans le monde par un seul homme, de même le salut a fait son entrée dans l'histoire par le Christ! » En quoi consiste, demande l'incroyant, l'efficacité de ce salut incapable de barrer la route au péché, puisqu'il continue à régner ? Vous-mêmes, vous dites : « Le juste pèche sept fois par jour. » Quelle efficacité, ce salut qui prétend avoir vaincu le mal alors qu'il n'est pas éradiqué ?

En somme, Dieu est comme les médecins : il nous soigne mais ne guérit pas ! Et pourquoi ? Parce que entre cette initiative divine du salut et le fait d'être réellement libéré du mal, s'insinue la liberté humaine. C'est tout à l'honneur de Dieu de nous avoir créés libres, mais je ne vais pas répéter ici — si ce n'est pour le souligner encore une fois — combien cet argument de la liberté humaine, qui se veut explicatif du mal à l'origine, me paraît oiseux. Plutôt que de créer une liberté de l'homme capable de choisir entre le bien et le mal, Dieu pouvait inventer — Il a suffisamment d'imagination — un autre type de liberté permettant de choisir entre deux biens possibles, et non pas entre le bien et le mal.

Reste alors à savoir pourquoi, les choses étant ainsi, Dieu n'intervient pas pour nous délivrer du mal !

Afin d'innocenter Dieu de ne pas agir directement pour supprimer la souffrance, on déclare que le Créateur respecte les lois de la Création. « Premier moteur » et « cause première » de toute chose, il ne veut agir qu'au niveau des causes secondes. Qu'est-ce à dire ? Il laisse la nature, qu'Il a organisée une fois pour toutes, faire son travail. Il ne se mêle pas de son processus. C'est ainsi, selon Leibniz, que la nature a été programmée, et le rôle du Créateur est de faire en sorte que tout aille pour le mieux dans le meilleur des mondes possibles. Il n'a pas à se transformer en dépanneur de l'univers pour réparer ce qui ne va pas. Ce qui nous apparaît catastrophique dans la nature (cataclysmes, séismes, ouragans, éruptions, etc.) contribue en fait à l'évolution du monde dans un sens positif. Peut-être. Il n'empêche : on aurait préféré que le progrès de la nature n'entraînât point les multitudes de victimes de toutes ces catastrophes dites naturelles. On pourrait espérer que des parents qui transmettent la vie puissent le faire sans être pris au dépourvu et voir leur enfant naître trisomique 21, pour une histoire de bâtonnet...

Dieu n'entre pas — peut-on oser employer là un tel mot? — dans ces détails... Si effectivement tout cela n'est que détail pour Lui, que penser de la Providence? Nous avons un double langage. D'un côté, quand on veut excuser Dieu de ne pas supprimer la souffrance dans le monde, nous disons : La nature est ainsi faite. (Oui, mais... qui l'a faite ainsi?) D'un autre côté, quand on veut montrer que Dieu intervient dans nos vies, on cite l'Évangile : « Pas un cheveu ne tombe de notre tête sans la permission de notre Père des Cieux. » Faudrait savoir et s'entendre!

Pourquoi — lorsque cela nous arrange d'innocenter Dieu de laisser la souffrance régner — dit-on : « Ne mêlons pas Dieu à nos petites histoires », et pourquoi alors, quand ça nous arrange de montrer qu'il peut agir directement, on le supplie de changer le cours des choses? Ainsi on voit le pape lui-même demander — en période de sécheresse — à la chrétienté de prier pour obtenir la pluie. Comme si tout à coup Dieu était Celui qui fait la pluie et le beau temps!

Deux poids, deux mesures. Voilà ce que l'incroyant réfute. Vous le sentez bien, je ne dis pas tout cela par complaisance. J'ai trop mal de constater combien ce traumatisme de la souffrance est obstacle majeur à la foi, comme le psalmiste lui-même priait :

> « Je n'ai de pain que mes larmes
> la nuit, le jour, moi qui tout le jour
> entends dire : " Mais où est-il ton Dieu là-dedans? " »

Ps 42-43

Comment dépasser une révolte qui tourne à vide et vide en nous la sérénité?

DÉPASSER LA ZONE D'OMBRE

Le sceptique et le mystique

Contrairement à la lune, c'est la face obscure de la souffrance que nous voyons : son côté noir. Dans la vie, pour dépasser ce qui assombrit notre sérénité, il faut se mettre en chemin pour aller plus loin. Se mettre en mouvement pour découvrir une autre vision des choses, ce que j'appelle « l'autre côté de l'île ». J'ai toujours été fasciné par les îles. Elles m'ont appris à porter mon regard à l'horizon. Des Cyclades en mer Égée aux Maldives dans l'océan Indien — ces petites crêpes de sable couleur gemme posées sur les lagons d'un bleu profond —, j'ai toujours voulu, à peine débarqué en un point de l'île, aller voir « l'autre côté ». Celui où le soleil nous dit que la mer n'est jamais pareille, que la mer n'est jamais comme hier car, au gré du vent, des courants, du rayonnement, quand la lumière perle en pluie sur la mer des gouttes d'étoiles, tout change constamment. Ainsi, du point de vue où l'on se place, on voit les choses différemment. On acquiert une autre expérience : celle de Dieu.

« Qui es-tu, discutaillon, pour ergoter avec le Tout-Puissant? »

Et Job de répondre :

« Eh oui, j'ai abordé sans le savoir des mystères qui me confondent,
Seigneur, je ne te connaissais qu'intellectuellement
Mais maintenant, je sais par expérience qui tu es. »

Au-delà de tout ce qui intellectuellement bloque, cette expérience je la fais dans cette nécessité de réconcilier en moi le sceptique et le mystique. Je m'explique : nous avons chacun notre double. Chacun est une île, avec ses deux versants. Ce qui est exposé au nord n'irradie pas comme ce qui est exposé au sud. Ce qui est exposé à la lumière de la raison n'éclaire pas comme ce qui est exposé à la lumière de la foi.

A moins d'être un chrétien mouton bêlant, on ne peut se contenter d'un discours tout fait et « pieusard » sur la souffrance. Le croyant lucide et mûr n'a pas peur d'exercer une critique radicale de tout ce qui ferait de la foi une entreprise de bondieuserie. C'est la fameuse « pieuse impiété » dont parle Maurice Blondel, de celui qui est en même temps sceptique et mystique. Pour ne pas être un chrétien écorché vif par la révolte devant la souffrance, à chacun de réconcilier en lui le sceptique et le mystique. Les deux se complètent. Le sceptique pose le doute méthodique comme une exigence de la raison devant la souffrance qui déraisonne. Mais la raison du plus fort, en l'occurrence, n'est pas toujours la meilleure. Si la grandeur de l'homme exige que l'on pousse aussi loin que possible la capacité de l'entendement humain, la dignité des enfants de Dieu invite à aller au-delà de la limite de cette capacité. Le sceptique et le mystique se font du bien quand l'un et l'autre se contestent pour mieux progresser. Le sceptique rabat le caquet du mystique porté à sublimer dans la foi l'inadmissible. Le mystique, lui, le rappelle à l'humilité de la raison. Mais le vrai mystique demeure blessé humainement et dans sa foi. Nouveau Jacob déhanché par Dieu, il boite dans ses certitudes. C'est ainsi que Dieu nous atteint. Non pour nous rendre béats, mais marcheurs éprouvés. De même que du côté du Christ transpercé par le coup de lance, l'eau et le sang mêlés ont coulé pour que jaillisse la grâce de vivre, de même de notre côté mystique nous avons à concilier l'épreuve de la souffrance et la passion de vivre.

Le chrétien au pied de la Croix

N'allons donc pas nous imaginer aujourd'hui que Jésus fasse le mort devant nos détresses puisqu'il est bel et bien mort pour que la vie surgisse à nouveau. Nous chrétiens, ne soyons donc pas de ceux qui mettent Dieu au pilori, au banc des accusés, comme si nous prolongions indéfiniment le procès du vendredi saint. Il est définitivement terminé, ce procès! Jésus a fait appel à son Père. Et celui-ci, juge suprême, par la force de l'Esprit l'a ressuscité d'entre les morts pour donner accès à la sérénité que Dieu veut pour nous comme une oasis plantée de palmiers dans le désert de notre propre incroyance. Elle est elle-même souffrance pour le chrétien qui vit sa foi comme une passion. Mais pour le croyant, quelle espérance de savoir que dans le cri du crucifié du Golgotha a été lacéré une fois pour toutes le voile de nos doutes, pour nous ouvrir les portes du Temple de l'Esprit que nous sommes, nous les baptisés! Là, dans cet espace intérieur, la lumière peut se faire, là, nos pourquoi s'éteignent. Puisque le Christ lui-même a crié sur la Croix, prenant dans sa voix les cris de détresse du monde entier, faisons de nos cris une prière.

Lors d'un pèlerinage, j'entends encore cette immense clameur que nous avions voulu lancer vers le ciel, dans ce désert de Juda. Clameur symbolique en écho à celle du Christ crucifié, prenant dans ses bras écartelés la souffrance de ceux qui n'ont même plus la force de crier. A chacun son désert. J'ai voulu faire de ce cri un poème :

« Va, va dans le désert de Juda
A dos d'âne ou pas à dos d'âne
Mène toi-même ta caravane d'âme
Ne t'arrête pas en chemin
Si ce n'est pour l'asphodèle.
Arrose de ton ombre
La fleur perdue des pierres.
Allume le sable.

Si le fennec à l'œil de sauvage féminité
Surgit
Jette ton cri de silex
Ne retiens pas le cri
Crois en ton cri.

Crie la bouche pleine de soleil.
Crie jusqu'à l'écho du sang
Crie encore
Fort.

Huile ton corps de mer morte
Si tu brûles de souffrance sulfureuse
Laisse-toi porter par le Sel de toute Densité
Laisse le feu s'en prendre à toi.

Laisse venir Celui qui a dit :
" Je suis venu apporter le feu sur la terre!
Je brûle du désir de le voir s'enflammer. "

Laisse-toi embraser
Sérénité est de braise. »

Quelle braise, sinon l'amour fou dont Dieu a témoigné en devenant le Serviteur souffrant? Non pas que la souffrance ait une valeur en soi : elle est négative, mauvaise. La souffrance de Dieu témoigne seulement de l'authenticité de son humanité. Le Christ n'a pas fui le tragique de la condition humaine. Il a été jusqu'à la Croix. Pourquoi la Croix? Encore pourquoi? Qui mieux que le poète peut trouver une parole qui s'accorde au mystère. Je laisse à celui qui fut pour moi un ami, cette lumière qui jaillit du poème [1] :

« Le Seigneur est en train de mourir d'amour sur la terre,
Disaient les anges autrefois,
Et maintenant ce cri passe dans toute chair :
Ce Dieu-Amour vient de mourir d'amour en moi!

Alors, parmi les bonheurs et les sèves, sa croix?
Mort d'amour, mon Seigneur? Comme un défi
Un reproche à la beauté de votre monde?

---

1. Patrice La Tour du Pin, « Prière de l'Office du matin », extraite de la *Somme de Poésie*, Livre 6e, Gallimard.

Jeune mort de printemps, comme un revers de honte
A toute fleur, à toute paix, à toute grandeur?...

Que mes yeux s'enténèbrent de Lui pour comprendre
Pourquoi toujours la mort avant le Paradis,
L'aveuglement avant le triomphe de lumière,
La sueur glacée avant l'apaisement,
Le détroit du silence avant le grand concert?

Ô mon agonisant, pourquoi le seuil est-il si tragique,
Et cette impasse entre les deux royaumes,
Et cet estuaire si resserré?

— Parce qu'il faut reconquérir le mal,
Revivifier de vous ce que la mort a pris,
Creuser d'amour les parts perdues du corps du monde,
Et que reprenne à la cendre le feu! »

« Parce qu'il faut reconquérir le mal! » Autrement dit, faire « en bien » ce que le mal a défait. Mais comment convertir « en bien » ce qui dans la souffrance nous fait si mal? Comment faire pour que le feu reprenne à la cendre ce qui étouffe toute joie de vivre quand nos corps sont endoloris? Comment faire pour que le feu reprenne à la cendre ce qui grise notre intelligence rebelle au mystère, sinon passer de nos « pourquoi » au « comment » faire pour lutter contre la souffrance?

Notre Dieu n'est pas le Dieu des « pourquoi », mais le Dieu des « comment ». Le croyant se situe à ce point de l'impensable de Dieu : là où il est impensable qu'un Dieu bon tolère la souffrance du monde, nous acceptons dans la foi que Dieu pense autrement que nous. On ne peut enfermer Dieu dans les catégories de l'entendement humain. Dieu demeure impensé, précisément parce que ses pensées ne sont pas nos pensées.

Le « pourquoi » du mal et du malheur demeure le secret du Père. Le « comment » lutter contre le mal, c'est la Révélation du Fils, faite une fois pour toutes lorsqu'il est venu sur la terre. Que trouve-t-il à nous dire : « Qui m'aime, me suive... Qu'il prenne sa croix! » Vous savez bien comment il a fait lui-même pour combattre la souffrance. Il l'a portée à bout de bras, prise à bras-le-corps, à bout de forces, à force d'aimer.

• Quand il a été arrêté au Jardin de Gethsémani au signe du baiser de Judas, c'était nos lâchetés qui l'ont fait prisonnier. Pour nous libérer.

• Quand il a été torturé, c'était nos coups durs qu'il supportait. Pour nous soulager.

• Quand il a porté sa croix, c'était nos détresses qu'il portait. Pour nous décharger de nos misères.

• Quand il est tombé sur le chemin du Golgotha, c'était sur nos chutes qu'il butait. Pour nous relever.

• Quand il a été cloué sur le bois, c'était nos blessures qui saignaient en Lui. Pour guérir nos meurtrissures de la vie.

• Quand il a reçu le coup de lance à son côté, c'était nos douleurs qui le transperçaient. Pour que jamais plus nos cœurs ne saignent.

Il n'était pas forcé d'endurer un tel calvaire. Pas d'autre raison que la passion, l'amour fou. Dieu ne nous aime pas de l'extérieur à Lui-même, de l'extérieur à nous-mêmes.

L'amour est la voie sacrée pour se prendre soi-même en charge si l'on veut accompagner ceux qui souffrent. Je conçois que ce langage puisse paraître récupérateur, facilement consolant, car l'amour, ce mot que l'on a toujours à la bouche, ne supprime pas la souffrance. Il change seulement la manière de souffrir pour celui qui, dans la foi, l'assume, en communion avec le Christ qui n'a rien trouvé de mieux pour sauver le monde que de la clouer sur la Croix. Mais l'amour n'est pas simplement un mot à la bouche quand, solidaires de ceux qui souffrent, on leur témoigne ce que l'homme a de mieux : aimer. Au cœur de la souffrance la plus atroce, c'est vrai que de se savoir aimé, entouré, ça change, sinon tout, au moins quelque chose dans la manière de supporter la souffrance.

La souffrance demeure pathétique. Nous demeurons toujours au pied du mur. Mais un mur qui n'est plus — à longue échéance du moins — insurmontable, si nous avons l'espérance qu'un jour la brèche pratiquée par le Salut du Christ ressuscité sera Délivrance. Pour un chrétien, que sa sérénité soit mise au pied du mur par la souffrance, c'est donc accepter de la déposer au pied de la Croix, comme la Mère de Jésus : debout! En pleurs, certes, car la véritable espérance emprunte le chemin des larmes pour aboutir à ces pleurs de joie que les femmes, devant le tombeau vide, n'ont pu retenir : « Il est ressuscité, le Crucifié. » Voilà qui justifie l'audace de la liturgie du vendredi saint, quand elle chante :

« *Ô Crux ave spes unica* »
Ô Croix notre unique espoir.

Logique, puisque la Résurrection, source de notre espérance d'être délivrés de tout mal, est accrochée à elle! Telle est, absolument gratuite, totalement déconcertante, apparemment folle, la proposition de foi faite aux volontaires pour croire que, si le Christ « y est resté », c'est

94

bien pour que nous puissions « nous en sortir »! Proposition d'espérance à mettre en pratique pour un volontariat de la foi.

Le chrétien réaliste

La question n'est donc plus de savoir pourquoi la souffrance, mais comment en sortir. Que changer pour en être libéré? D'abord, se changer soi-même pour être en mesure de faire front au mal. Telle est la leçon de ces deux textes de saint Luc : le massacre des Galiléens par Pilate et la catastrophe de la chute de la tour de Siloé tuant dix-huit personnes (13, 1-5). Seules allusions des évangiles, à ma connaissance, qui évoquent, avec l'aveugle-né en saint Jean, le caractère arbitraire de la souffrance. Il est révélé que la cécité de ce jeune homme n'a pas de lien avec le fait que lui ou ses parents auraient pu pécher. La leçon est claire : les malheurs qui s'abattent sur l'homme ne sont pas l'effet de sa méchanceté ou un signe de malédiction ou punition divine. Au lieu de chercher des coupables, vous feriez bien mieux de vous convertir!

Se convertir soi-même ne change pas l'atrocité de la souffrance. Nous serons toujours dépassés par elle. Le Christ Lui-même, qui a passé une bonne partie de sa vie publique à guérir les malades, a montré par ces gestes symboliques la nécessité de s'attaquer au mal, mais il ne l'a pas éliminé. Pour quelques malades privilégiés qui ont été guéris, des multitudes d'autres le sont restés. Les miracles de guérison n'ont été que des signes prophétiques de ce jour annoncé où « de mort, de cris, de pleurs, il n'y en aura plus ».

En attendant, à chacun de retrousser ses manches pour

— dans les limites restreintes du possible — faire reculer la maladie, la souffrance, d'une manière générale. Tâche des médecins, bien sûr. Également notre tâche dans l'accompagnement de ceux qui souffrent moralement et physiquement. Que faire? Commencer par se rasséréner soi-même. Je ne puis être pourvoyeur de sérénité autour de moi si je ne m'apaise pas moi-même, si je ne fais pas taire ma désespérance et mes révoltes pour consentir à ma fragilité. Celle qui m'atteint précisément là où je me croyais fort. Celle qui me blesse là où je me croyais invulnérable. Celle qui me convertit à l'humilité là où j'aurais pu m'enorgueillir. Celle qui me permet de rendre grâce au cœur de l'expérience que je fais : « C'est quand je suis faible que je suis fort » (2 Co 12, 10). Ce paradoxe que Paul a vécu est déterminant pour comprendre de quelle sérénité on parle face à la souffrance. C'est le miracle des mains vides. A travers le consentement apaisé à être démuni devant la souffrance d'autrui, passe quelque chose qui n'est pas de nous. En tout cas, je ne puis être témoin de la sérénité autour de moi si je ne suis pas réceptif à la fragilité de ceux qui m'entourent. Je ne puis conforter les autres dans la sérénité si j'estime ne pas avoir besoin d'eux. Dieu Lui-même, pour nous sauver, a voulu avoir besoin des hommes. Il le veut encore aujourd'hui, par nous chrétiens.

Dieu a besoin des hommes parce qu'Il est Père et non paternaliste. Dieu ne nous sauve pas parce qu'Il est le plus fort, mais parce qu'Il nous aime. Le Christ nous a prouvé son amour en étant Lui-même éprouvé par la faiblesse humaine : homme de douleur, non point homme fort! Quand j'entends cette belle hymne liturgique proclamer : « Dieu Saint! Dieu FORT, Dieu Immortel! » je double ma prière en disant : « Dieu faible. Dieu mortel, en Celui qui fut mortellement blessé, le Crucifié; en Celui qui, dévêtu des ornements de sa royauté, a montré que sa Toute-Puissance n'était pas celle d'un Dieu caïd, mais d'un Dieu aimant qui pour aimer était capable d'être désarmé. » Dietrich Bonhoeffer, théologien et pasteur allemand que j'admire, a magnifiquement exprimé cette humilité de Dieu qui fait sa force, son effacement jusqu'à paraître impuissant :

> « Dieu est impuissant et faible dans le monde, et c'est précisément et seulement ainsi qu'il est près de nous et nous aide. Il est tout à fait manifeste, d'après Mt 8, 17, que le Christ ne nous porte pas secours en vertu de sa toute-puissance, mais en vertu de sa faiblesse, de sa souffrance. »

Ainsi la sérénité ne peut rayonner si nous-mêmes nous n'acceptons pas notre faiblesse. Certes, il faut être solide pour soutenir ses frères, sinon on risque d'être l'aveugle qui, conduisant un autre aveugle, tombe dans le trou avec lui. Et pourtant! Habitant à Paris près de l'hôpital des Quinze-Vingts, centre national ophtalmologique, je suis toujours ému devant ces aveugles qui se conduisent eux-mêmes en se donnant le bras pour mieux se seconder. Il arrive que certains se cognent à des obstacles imprévus, telles des voitures mal stationnées. Je ne sais par quelle perception aiguisée ce que l'un ne sent pas, l'autre le pressent et ainsi ils arrivent à s'aider mutuellement. Et parfois, on les voit même sourire, comme si la sérénité pouvait être un autre regard sur la vie.

Reste maintenant à se demander que faire pour compatir positivement à la souffrance de l'autre : Silence, Parole, Action.

Silence non pas de lâcheté ou de paresse. Silence pour calmer, rasséréner. Silence où transparaît une qualité de présence. Silence d'écoute. Écouter, c'est ausculter l'âme. Écouter des êtres incroyables, des secrets invraisemblables, des secrets qui pèsent, dont vous ne pouvez parler à personne, sinon écouter encore en vous-même ce que la nature humaine vous révèle d'infini en chaque personne unique. Écouter sans se lasser, de telle sorte que le silence ne fasse pas peser la culpabilité qui enrayerait toute tentative de faire revivre la sérénité. Écouter le silence de l'autre jusqu'au moment périlleux où vous prendrez non pas la parole, mais le risque de la parole. Et pour dire quoi? Faire deviner que votre silence n'a été que communion. Alors, peu importe que certains mots soient infirmes, du moment qu'ils expriment sans protocole ce qu'est la compassion, qu'ils ne trahissent pas la vérité par des vœux mensongers. Peu importe que certains mots claudiquent, du moment qu'ils ne tombent pas à côté de ce que l'autre attend. Rien de pire que ces paroles qui se veulent encourageantes et qui prouvent qu'on ne compatit pas vraiment à la douleur qui étreint celui que l'on prétend rejoindre : facile à dire les « Il faut lutter. Il faut assumer ». Toujours ces « Il faut » qui ne font qu'accentuer ce que le malade n'arrive pas à vivre. Et ces conseils qui agacent l'handicapé quand la personne en bonne santé lui rabâche : « Il faut vivre comme tout le monde! » Oui, bien sûr, mais quand on n'est plus comme tout le monde, ce genre de paroles ne fait qu'aviver la blessure. Mieux vaut alors trouver le geste qui, joint à un silence de présence, deviendra peut-être filet d'espérance, brin de tendresse, once de sérénité.

Mieux encore : comment joindre ces gestes humains à une action efficace au service des malades qui n'en peuvent plus de souffrir? Si l'accompagnement des mourants, dont on sait avec certitude qu'ils sont à la fin, tel qu'il est magnifiquement pratiqué dans certains hôpitaux, est un progrès indéniable, reste à s'interroger sur la façon d'accompagner ceux qui n'arrivent pas à mourir. Je pense aux cas extrêmes, aux situations désespérées de malades dans le coma, aux accidentés de la route réduits à ce que certains appellent d'un mot choquant, à l'état végétatif, soumis à un acharnement thérapeutique sans autre effet que de prolonger un martyre. Je sais bien que le rôle des médecins est de s'obstiner par tous les moyens sinon à guérir, tout au moins à préserver la vie. C'est pourquoi un certain nombre d'entre eux refusent les critiques simplistes au sujet de ce terme « acharnement ». Mieux vaudrait parler d'opiniâtreté thérapeutique en fonction d'un progrès à poursuivre dans la recherche médicale et chirurgicale.

Chaque fois que je reviens de l'hôpital Henri-Poincaré de Garches, spécialisé dans le cas des grands traumatisés, et de Berck ou j'essaie avec bien d'autres d'accompagner une malade dans un état pitoyable, je suis démoli. Anéanti d'être impuissant au chevet de cette femme dont c'est trop peu de dire — selon la parole du prophète Ésaïe à propos du Christ crucifié : « sans beauté ni éclat » — qu'elle est clouée sur son lit de douleur, reliée aux machines avec leur bruit obsédant, totalement paralysée, trachéotomisée, intubée, le corps gonflé, le visage bouffi, aphasique, ayant perdu toute sensibilité de son corps, méconnaissable, mais demeurant totalement consciente, hypersensible en son âme. C'est là qu'elle est broyée le plus cruellement. Les médecins peuvent peut-être s'habituer à voir souffrir. C'est leur métier. Moi pas. Souffrir, mourir, c'est toujours pareil, direz-vous. Certes. Mais c'est toujours autre chose. C'est unique. « L'autre » ne saura jamais ce qu'est la croix de son frère. Dans ces cas extrêmes, il y aurait grave impudeur à parler de sérénité alors qu'on ne voit plus très bien ce que la vie humaine a d'humain. A quoi se réduit-elle, sinon à l'espoir?

Si le malade perçoit dans les yeux et l'attitude de ses proches l'angoisse, la vile pitié, la peur qu'ils ressentent pour eux-mêmes, il y a de grandes chances qu'il ne demande qu'à mourir. Si au contraire ceux qui l'aiment lui font comprendre combien ils tiennent à lui, combien sa vie leur est précieuse, le malade en conclut que vivre vaut encore la peine. Au long du calvaire qu'a subi ma mère dans le service de réanimation à Garches, j'étais de ceux qui lui disaient, pour lui donner force et espoir : « Maman, lutte, lutte encore. On a besoin de toi! » N'y a-t-il pas un égoïsme inconscient, un abus de pouvoir des bien portants, de vouloir prolonger l'existence du condamné à survivre (il faudrait dire « sous-vivre ») dans une souffrance qui le mine et de plus désagrège sa famille? Si l'on peut prétendre que le regard de l'autre, « l'altérité » fait vivre, il peut lui arriver aussi d'altérer la liberté de mourir.

On sait ce que Sartre a écrit à ce sujet. Je cite de mémoire : « Autrui me regarde, et comme tel il détient le secret de mon être, de telle sorte que le sens profond de mon être est hors de moi. Je suis possédé par autrui. » Et il ajoute le fameux : « L'enfer, c'est les autres! » Emmanuel Mounier lui-même dira : « Le regard d'autrui me vole mon univers, la présence d'autrui fige ma liberté. » Ma vie, ça me regarde. Ça me regarde d'abord moi. Et pas les autres. Assurément la vie est sacrée et même, pour le chrétien, consacrée à Dieu. Jusqu'où peut aller cette affirmation qui passe trop inaperçue au cours de nos célébrations eucharistiques : « Afin que notre vie ne soit plus à nous-mêmes, mais à Lui qui est mort et ressuscité... » (prière n° 4). J'avoue que je ne prononce jamais, mais jamais, ces paroles sans frémir, tant elles pèsent sur une conception de l'existence dont on n'a pas fini de mesurer la portée.

Comment concilier cette vérité si humaine : ma vie m'appartient, c'est à moi de décider ce que j'ai à faire, vivre et mourir, et cette vérité essentielle de notre foi : Dieu est le Maître de notre vie? Cette parole du Christ me semble éclairante : « Ma vie, nul ne la prend, c'est moi qui la donne. » Ainsi le voit-on, de manière quasi suicidaire, aller au-devant de la mort lorsqu'il se rend au Jardin des Oliviers pour se faire arrêter, alors qu'il pouvait l'éviter. Après tout, pourquoi empêcherait-on le malade, à la suite du Christ, d'aller volontairement au-devant de sa mort inéluctable, dans cet esprit où Dieu a lui-même donné sa vie? Non pas « se » la donner, mais simplement laisser faire la nature et « la » donner en sacrifice dans la logique de ce que l'on déclare sur le sens rédempteur de la souffrance? Nous les chrétiens qui ne cessons de répéter : « Il n'y a pas de plus grand amour que de donner sa vie pour ceux que l'on aime », pourquoi empêcherait-on un malade d'aller au-devant, par amour pour ceux qu'il aime?

Délivre-nous du mal...

« Nous préférons quitter ce corps — dit saint Paul aux habitants de Corinthe — pour aller demeurer auprès du Seigneur » (2 Co 5, 8). En attendant, préférence ou pas, la souffrance fait son œuvre. Mais pour un temps seulement. C'est la leçon du livre de Job. Tout est bien qui finit bien. Mais lui, il a eu de la chance puisqu'il fut guéri. Les roses ont fleuri sur son tas de fumier. A la fin de sa vie, il connut la prospérité. Il est entouré de ses jolies filles...

> « Le Seigneur bénit les nouvelles années de Job plus encore que les premières. Il eut quatorze mille moutons et six mille chameaux, mille paires de bœufs et mille ânesses. Il eut aussi sept fils et trois filles. La première il la nomma Tourterelle, la deuxième eut nom Fleur-de-Cannelle et la troisième Ombre-à-Paupière. On ne trouvait pas dans tout le pays d'aussi belles femmes que les filles de Job. »

Jb 42, 12 à 15

Douce sérénité! « Patience et longueur de temps font plus que force ni que rage! » La patience s'avère déterminante dans l'apprentissage de la sérénité. Ce qui la détruit, c'est bien sûr l'épreuve du temps présent, mais aussi le fait de ne pas voir où elle mène. Toute la vie de Jésus est tendue vers ce que Jean appelle « son heure ». C'est seulement « quand son heure fut venue » que s'éclaire le sens de sa destinée. La vie publique du Christ nous révèle qu'il faut savoir attendre pour comprendre. Il faudra attendre le Golgotha pour comprendre que le Christ ne s'est pas évadé de notre terre de malheur quand il fut préservé du massacre des Innocents aux premiers jours de sa naissance. La fin de la vie de Jésus met en lumière qu'Il ne s'est pas sauvé pour échapper à la barbarie d'Hérode, mais pour pouvoir, « l'heure venue », nous sauver de la tyrannie du péché. Tel est finalement le sens de la parole des soldats romains au pied de la Croix : « Sauve-toi toi-même si tu es le Fils de Dieu! »

Comment Jésus révèle-t-il qu'Il est le Fils de Dieu? En nous sauvant nous-mêmes... L'espérance de la délivrance ne peut pas faire l'économie de la persévérance. « Ne te laisse pas déporter hors de l'espérance », proclame saint Paul (Col 1, 2-3). Car Dieu s'engage à exaucer la demande ultime du Notre-Père : « Délivre-nous du mal. » Mais jusques à quand devrons-nous supplier le Seigneur du Salut :

> « Oui, délivre-nous du mal, Seigneur
> du mal passé qui nous marque dans le présent
> du mal présent qui nous empêche de regarder
> l'avenir dans l'espérance de la Délivrance. »

Délivrance! Délivrance!

Chronique d'une sérénité annoncée que nous promet la Parole de Dieu dont je retiens, parmi les apôtres, trois noms : Pierre, Paul et Jean.

La manifestation de Dieu.

> « Gloire à Dieu, le Père de Notre Seigneur Jésus Christ : dans sa grande miséricorde, il nous a fait renaître pour une espérance vivante, par la résurrection de Jésus-Christ d'entre les morts.
>
> Tressaillez d'allégresse même si vous devez être, pour un peu de temps, éprouvés de diverses manières, afin que la valeur de votre foi — beaucoup plus précieuse que l'or périssable qui pourtant est éprouvé par le feu — suscite louange, gloire et honneur lors de la manifestation de Jésus Christ.
>
> Lui que vous aimez sans l'avoir vu, en qui vous croyez sans le voir encore, aussi exultez-vous d'une joie ineffable. »

1 P 1, 3-9

Délivrance à venir

« J'estime que les souffrances du temps présent sont
sans commune mesure avec la gloire qui doit être manifestée en nous. Car la Création attend avec impatience la
révélation des fils de Dieu. Livrée au pouvoir du néant,
elle garde l'espérance.

Nous le savons, la création tout entière gémit maintenant encore dans les douleurs de l'enfantement. Elle
n'est pas la seule : nous aussi, qui possédons les prémices
de l'Esprit, nous gémissons intérieurement, attendant la
délivrance pour notre corps. Car nous avons été sauvés,
mais c'est en espérance. Or, voir ce qu'on espère n'est
plus espérer. Mais espérer ce que nous ne voyons pas,
c'est attendre avec persévérance. »

Rom 8, 18-19 et 24-25

Le Monde Nouveau

« Je vis un ciel nouveau et une terre nouvelle, car le
premier ciel et la première terre ont disparu, ainsi que
la mer.

Et la Cité sainte, la Jérusalem nouvelle, je la vis qui
descendait du ciel, d'auprès de Dieu, parée comme une
épouse pour son époux.

Et j'entendis, venant du trône, une voix forte clamer :
Voici la demeure de Dieu avec les hommes.

Il demeurera avec eux.

Il essuiera toute larme de leurs yeux.

La mort ne régnera plus.

Il n'y aura plus ni deuil, ni cri, ni souffrance, car
l'ancien monde aura disparu. »

Ap 21, 1-4

PASSER DES CAPS

Comme toute croisière, celle de l'existence ne se fait pas sans escale. Mais, à la différence de ce que les marchands de voyages appellent « croisières de rêve », elle connaît un certain nombre d'avatars. L'on se croyait embarqué pour une destination heureuse que l'on s'était fixée d'après un choix de vie et voilà que notre destinée connaît des bifurcations imprévues, comme si le commandant du bateau, qui tient de là-haut le gouvernail de nos vies, avait ses raisons bien à Lui de changer de cap sans qu'Il ait la moindre explication à nous fournir. Au nom de quoi? Au nom... de Son nom : *Divine Providence!* Sur un bateau, on ne peut que faire confiance au capitaine. Pourquoi s'inquiéter? « La nuit où tu navigues n'aura-t-elle point son île, son rivage? Qui donc en toi toujours s'aliène et se renie? » (Saint-John Perse).

Le parcours d'une vie humaine se déroule selon des étapes plus ou moins difficiles à franchir. On perd sa situation : vous vous voyiez indélogeable et l'on vous fait comprendre que vous n'êtes pas indispensable. On perd la santé : vous vous croyiez invulnérable et telle maladie à laquelle vous vous attendiez le moins se déclare, vous brisant les ailes. On déménage pour maintes raisons : bien obligé de jeter par-dessus bord un tas de vieilleries et de choses amoncelées, mais le plus dur est de quitter le lieu de ses souvenirs et nostalgies. On fait une psychanalyse : il n'est pas évident d'en finir avec les avaries au fond de la cale de sa petite enfance, et donc de porter un autre regard sur de nouveaux rivages à l'horizon.

Des pages se tournent. Toute la vie, il faut partir et repartir, voir partir ceux que l'on aime. Se voir partir soi-même.

Partir, dit le fameux dicton, c'est mourir un peu, oui, quand on s'accroche à ses routines et sécurités, comme si rien ne pouvait recommencer. Partir, c'est vivre et revivre quand, dans le sillage d'Abraham, on prend la route, faisant confiance aux étoiles. Se rendre là où Dieu fixe ses rendez-vous ne signifie pas seulement se mettre en chemin, mais intérieurement se rendre, se livrer à cette présence invisible dont il est dit qu'elle habite en nos cœurs.

Pour ne pas en rester à des considérations théoriques, je voudrais évoquer trois caps à passer pour plus d'un : le départ des enfants quand ils quittent le foyer familial pour se marier; le départ d'un conjoint qui précède l'autre dans la mort, et ce départ de soi-même quand, les forces déclinant, le corps vous joue des tours. Comment piloter son bateau de sorte que la sérénité n'aille pas à vau-l'eau? Comment faire de tous ces départs un nouveau départ pour soi-même dans la vie? « S'en aller, s'en aller, parole de vivant! » dit Saint-John Perse. Oui, à condition que ce ne soit pas une fuite en avant.

L'ENVOL DES ENFANTS
« Un temps pour enfanter »

LE NID VIDE

Assis en face de moi dans le bus, un petit bonhomme haut comme trois pommes, fasciné par tout ce qu'il voyait défiler devant lui dans la rue, n'arrêtait pas de poser des questions à sa maman radieuse. Avec patience, elle répondait à une pluie de « pourquoi? » C'était merveilleux de les voir tous les deux. Elle, dans un bonheur transparent; lui, avec des yeux malicieux. Des taches de rousseur colorent son visage, tels des points de suspension comme pour mieux en souligner la fraîcheur. Craquant, cet enfant! Quelle soif de découvrir, quelle joie de vivre! Et cet air de gravité qui n'appartient qu'aux enfants quand ils racontent à leur maman ce qui pour eux a tant d'importance sur le moment et qu'ils oublient une minute après! Elle, visiblement, savourait cet instant de délice. Mais — ai-je fantasmé? — j'ai cru percevoir dans ses yeux embués un air de nostalgie, comme si elle avait la prémonition qu'un jour son « petit » ne serait plus avec elle aussi spontané, abandonné dans cette connivence mère-fils. Je me disais en moi-même : « Comment toi, jeune maman, réagiras-tu quand tu le verras partir au bras d'une autre femme? Quelle sera ta sérénité? »

Vous dire également les larmes émouvantes, discrètes, que plus d'une fois je vois perler sur un visage de mère lorsque je célèbre une messe de mariage! Quel arrachement que ce départ de l'enfant! Plus rarement les pères pleurent. Ce qui ne veut pas dire qu'ils ne ressentent pas, eux aussi, viscéralement, ce que les psychologues appellent « le syndrome du nid vide ». Certes, ce n'est pas une surprise. Dans la plupart des cas, depuis longtemps déjà l'enfant vole de ses propres ailes.

- • *« L'homme quitte son père et sa mère. »* Loi de la vie que promulgue le livre de la Genèse. Loi naturelle — on ne peut plus naturelle — que Dieu entérine. Mais Dieu ne se contente pas de faire un constat. Il la consacre, la rend sacrée, la confirme du sceau de son Esprit. Cette loi naturelle se vit surnaturellement, ce qui implique de la part des parents une attitude spirituelle, un renoncement dans l'esprit de l'Évangile, un don d'eux-mêmes. Don joyeux de laisser leurs enfants aller selon leur liberté, de les voir heureux. Le seront-ils? Que vont-ils devenir? Le fait de voir partir ses enfants construire leur propre nid — avec toutes ces brindilles que seront les petits soucis de chaque jour et ces gros morceaux d'épreuves qu'ils rencontreront sans doute sur leur route — n'est pas sans soulever des inquiétudes et provoquer un remue-ménage dans le cœur des parents, singulièrement celui des mères... Et puis, avec le temps, comment tiendront-ils ces liens d'amour filial tissés au fil des années? Quelle gratitude? Car si l'homme doit quitter père et mère, il n'est jamais quitte de la dette d'amour envers eux. Somme incalculable de sollicitude!

• *« Tes père et mère honoreras afin de vivre longuement. »* Faut-il vraiment un commandement de Dieu pour ordonner aux enfants des hommes de ne pas abandonner leurs parents! Pas l'ombre d'un doute : quitter père et mère ne signifie pas les laisser tomber en cas de besoin matériel. En tout cas, le besoin d'amour, lui, subsiste toujours. Voilà où les enfants doivent mettre leur point d'honneur, leur bonheur : témoigner à leurs parents une tendresse infinie qui les conforte dans la sérénité. Tendresse de la maturité, réserve inépuisable de l'affection filiale. La place des parents demeure irremplaçable. C'est un signe de l'équilibre adulte que de le réaliser. Il faut les avoir perdus pour mesurer ce que signifie ce mot lourd de chagrin : orphelin.

• *« Parents, n'agacez pas vos enfants. »* Sage conseil de saint Paul! Ne faites pas peser sur eux le poids de la peine que vous avez de les voir vous échapper. Ne les culpabilisez pas insidieusement par des réflexions allusives sur leurs visites trop rares. Vous obtiendrez le contraire de ce que vous cherchez. Ne soyez pas possessifs sous les apparences de la libéralité. Ce genre de réflexion est suspect : « Tu sais, je te laisse libre! » Si vous éprouvez le besoin de le dire, c'est peut-être le signe que, dans votre for intérieur, ce n'est pas si sûr! Les enfants le sentent bien! Laisser filer les enfants vivre leur vie ne signifie pas abandon, mais autre forme de don : disponibilité pour leur rendre service, présence discrète, accompagnement... à distance. Mais le don le plus précieux, le plus fondamental, est celui de la liberté. Un don qui demande une grande pédagogie.

Voulez-vous savoir dès maintenant comment vous serez aptes à voir partir vos enfants? Vous faites le point sur la façon dont vous les élevez. On reconnaît l'arbre à ses fruits. Vous pouvez déjà prévoir la qualité de relation que vous aurez avec vos enfants adultes au regard de l'éducation que vous leur donnez. Certes, elle n'est pas une garantie. Des enfants bien élevés peuvent devenir des adultes ingrats. Au moins, vous mettez les chances de votre côté pour vivre dans la sénérité.

Il me paraît important — sur les grandes questions de la vie — de faire le lien entre ce que la sérénité exige concrètement et les principes éthiques qui, loin de lui être étrangers, la fondent. Principes qui, tant qu'ils en restent à un plan théorique, font l'unanimité et qui — l'expérience le prouve — sont trop souvent mal vécus. Il me semble donc nécessaire de rappeler :

• L'enfant est un don et non pas un dû.
• L'enfant est une fin en lui-même et non pas un moyen.

L'ENFANT : UN DON ET NON UN DÛ

• Quoi de plus beau, de plus grand, de plus exaltant que de donner la vie? Permettre à un petit d'homme de naître au soleil, de s'éveiller à la lumière, de goûter la sensualité d'exister, de savourer la joie de découvrir la vie?

• Quoi de plus redoutable que ce pouvoir qu'a l'homme de jeter dans l'existence un être humain de manière aveugle, sans connaître ce que sera son destin? Car donner la vie, c'est aussi donner la mort, c'est une chance et un risque. D'un côté, on offre à l'enfant la joie de vivre sur terre et la grâce de jouir de la vie éternelle, d'un autre, on l'expose aux souffrances inévitables de l'existence et peut-être à une mort effroyable. Mort et vie, ce sont également les deux faces du mystère de notre Dieu sur terre, mystère dans lequel toute naissance nous introduit.

Devant l'inconnu de la destinée humaine, en définitive Dieu seul est à même de prendre le risque de donner la vie. Il n'appartient pas à l'homme de la donner parce qu'elle ne lui appartient pas. Il ne peut que la communiquer de la part de Celui qui en est la source : Dieu. Le couple humain ne donne pas la vie, il la reçoit pour la transmettre dans l'amour conjugué de l'homme et de la femme. Il la reçoit de Celui dont il est l'image : le Créateur. L'homme n'est que procréateur. Voilà de quoi remettre dans l'humilité ceux qui volontiers se prendraient pour des dieux parce qu'ils savent manier des éprouvettes... Voilà de quoi ne pas considérer le don d'engendrer comme une revendication à satisfaire à tout prix.

« Laissez venir à moi les petits enfants », dit le Christ. Il n'a jamais dit : « Laissez venir au monde des bébés improvisés, résultat des jeux du hasard sans amour ! » L'enfant est trop sacré dès l'origine pour qu'on le traite comme le produit d'un sperme congelé de vendeurs anonymes.

En 1987, le document romain intitulé « Le don de la vie » rappelait un certain nombre de vérités permettant de voir clair devant les abus d'un acharnement obsessionnel à vouloir à tout prix avoir des enfants dans le cas de la stérilité d'un des conjoints. Que la stérilité soit combattue comme une anomalie de la nature, qu'elle soit traitée comme une maladie que l'on guérit, quoi de plus conforme à la maîtrise que l'homme doit acquérir sur la nature quand celle-ci est défaillante ? Quoi de plus légitime pour des époux que de recourir aux procédés les plus en pointe et moralement acceptables ? Quoi de plus souhaitable que de leur permettre de réaliser ce qui — avec l'harmonie de leur couple – est la fin du mariage et la finalité de la sexualité : une saine procréation, apothéose de l'amour? Cela dit, maîtriser la nature : oui, la forcer : non! N'est-ce pas la forcer quand des femmes s'obstinent à donner naissance à un enfant pour leur satisfaction personnelle, en s'adonnant à certaines pratiques d'insémination artificielle incompatibles avec ce que la bioéthique peut admettre? N'est-ce pas porter atteinte à la dignité humaine?

• Dignité de l'homme : pour qui le prend-on quand on le ravale à ce rôle de géniteur aveugle?

• Dignité de l'enfant : pour qui le prend-on quand on le destine à naître de père inconnu pour être l'objet du désir de la femme?

• Dignité de la femme : pour qui se prend-elle elle-même pour accepter cela?

Dans ces cas qui me choquent, je pense aux propos non moins choquants de Nietzsche :

> « Tout chez la femme est une énigme
> Tout chez la femme a solution unique
> Laquelle a nom : grossesse.
> Pour la femme, l'homme n'est qu'un moyen :
> Le but est toujours l'enfant! »

(Ainsi parlait Zarathoustra)

Jugement outrancier, généralisation excessive et provocante, sans nul doute. Toutefois, comme dans toute caricature, certains traits démasquent une vérité plus subtile que nous n'avons peut-être pas envie de regarder en face, nous abritant derrière des paroles plus rassurantes...

Le discours chrétien, planant dans les sphères de l'idéal, présente la venue de l'enfant dans le couple comme le signe de la générosité d'un foyer non replié sur lui-même. Générosité! Comme il en faut! J'en sais quelque chose, moi qui appartiens à une famille de neuf enfants, non seulement ayant vu, mais bien plus aidé mes parents à trimer pour nous élever. Abnégation, dévouement, don de soi; quels mots encore pour traduire la tendresse d'un père et d'une mère, tapie au fond d'une vie de sacrifices, quand cela n'a pas été une vie sacrifiée? Le reconnaître ne dispense pas d'un minimum de lucidité par rapport aux clichés qui traînent, occultant bien d'autres motivations — conscientes et inconscientes — du désir de l'enfant.

Pourquoi vouloir avoir des enfants? Ineptie d'une telle question quand évidemment la réponse est inscrite dans l'ordre des choses selon les pulsions instinctuelles de notre animalité la plus profonde : perpétuer l'espèce humaine. L'enfant, c'est le symbole de la survie possible. On veut l'enfant parce qu'au-delà de la mort, il nous prolonge. On le désire d'abord égoïstement pour ne pas mourir. Égoïsme qui n'a pas de connotation morale, il fait partie de la nature humaine dans la générosité qu'elle a d'un vouloir-vivre impérieux, s'exprimant autant par l'instinct de conservation de la vie que celui de la préservation de la mort. Vision métaphysique des choses. Platon s'en est expliqué dans *Le banquet,* au cours du fameux dialogue entre Diotime et Socrate. Diotime dit à Socrate :

« Si tu veux considérer l'ambition des hommes, tu seras surpris de son absurdité. Songe au singulier état où les met le désir de se faire un nom et d'acquérir une gloire d'une éternelle durée. C'est ce désir, plus encore que l'amour des enfants, qui leur fait braver tous les dangers, dépenser leur fortune, endurer toutes les fatigues et sacrifier leur vie... Les féconds, c'est leur manière d'aimer que de procréer des enfants, pour s'assurer l'immortalité, la survivance de leur mémoire, le bonheur, pour un avenir qu'ils se figurent éternel. »

Le commun des mortels ne va évidemment pas creuser si profond dans l'examen des motivations de son désir de l'enfant. L'enfant : c'est naturel! Transmettre la vie, n'est-ce pas le sens de la vie! La plus grande joie de la vie? Joie de la femme par excellence, bonheur physiologique, tout en elle est appel à la maternité : sa constitution anatomique et ses structures mentales. Joie facile que de s'attendrir sur les nouveau-nés, joie gratifiante de les sentir à soi, de se sentir indispensable pour eux, mais naïveté quand on ne réalise pas qu'élever — au sens le plus noble — un enfant, ce n'est pas seulement bichonner un bébé, mais être capable de faire face aux difficultés que posent les problèmes d'éducation d'une adolescence ardue, édifier un homme. Joie de toute manière légitime et tellement belle, mais qui devient ambiguë quand on revendique l'enfant égoïstement comme bien personnel, quand on se sert de lui comme moyen de réaliser son équilibre à soi.

Le modèle de société de la « femme-mère », qu'imposent aujourd'hui les médias et la politique nataliste que l'on sait, pourrait donner l'impression que la célibataire, la femme sans enfant est une femme non accomplie. Comme si l'enfant était la seule forme de fécondité dans une vie, le seul sens à la vie! Nouveau culte de la fécondité qui, trop souvent d'ailleurs, s'exerce au détriment de l'enfant, exploité comme moyen de valorisation sociale.

Les contrastes sont de plus en plus saisissants entre les pays démunis — où l'on déplore une enfance malheureuse, maltraitée, prostituée — et nos pays nantis où les enfants sont gâtés et adulés. Que peut donner une telle éducation lorsque le petit enfant devenu grand quittera le nid? Comment réagiront les parents qui l'ont voulu d'abord pour eux-mêmes? Ce moment du départ du foyer familial se prépare par la façon dont on sait l'aimer en vérité, pour lui-même. La sérénité ne s'improvise pas. Dans ce domaine comme dans tout autre, elle rime avec spiritualité.

SPIRITUALITÉ DE L'ENVOL

« Il faut que je m'en aille sinon vous ne recevrez pas l'Esprit saint! » Cette parole de Jésus à ses apôtres, peu de temps avant son ascension, illustre bien cette nécessité de s'effacer pour laisser « le petit » que l'on a « élevé » prendre la taille adulte.

« Il faut que je diminue pour que Lui grandisse! » Cette autre parole de Jean Baptiste à ses disciples, au sujet du Christ-Messie, va dans le même sens : effacement et détachement dans l'humilité tracent deux voies privilégiées pour vivre sereinement l'envol des enfants.

Départ des grands enfants : pour les parents, quel beau voyage initiatique! Belle invitation pour eux à prendre un bon départ vers la demeure du Père des Cieux, là où père, mère, fils, filles sont ensemble pour une joie sans fin : enfants de Dieu.

« Si tu es détaché des biens de ce monde,
tes plumes vont s'étendre,
tes ailes seront libérées de ce qui les paralysait
et tu vas t'envoler à l'aide des deux commandements :
l'amour de Dieu et l'amour des autres.
Où vas-tu sinon vers Dieu?
Tu montes en volant parce que tu montes en aimant. »

Saint Augustin

LE VEUVAGE
« *Un temps pour pleurer* »

IMMENSÉMENT SEULE

Le cercueil sanglé de cordes lentement glisse dans la glaise, s'enfonce dans la tombe. Au cimetière, elle est là, les yeux noyés de larmes. Elle enterre son mari. Dignité. Silence. Dans le vent de novembre, une éclaircie, comme un signe. Et moi, pour le dernier adieu, je suis là avec elle, avec ceux qui pleurent. Je médite : « Tu es poussière et tu retourneras poussière! » Poussière — cimetière — lumière. Ça rime ensemble. Pendant que proches et parents défilent, jetant une rose dans le caveau, cette parole d'Évangile m'habite : « Il y a plusieurs demeures dans la Maison du Père... » Laquelle pour lui, cet homme qui fut mon ami? Que la joie soit sa demeure! Que sa joie demeure!

Au moment de se séparer, sa femme vient m'embrasser, me remercier. Elle me serre les deux mains : « Comment va-t-il passer sa première nuit? » Quelle question! Une de ces paroles qui vous sont arrachées du plus loin que la raison. Question viscérale qui n'a pas vraiment de sens. Elle le sait bien, cette femme. Elle a la foi. Elle croit en

119

la Résurrection. Elle espère en la vie éternelle. Mais en attendant, si dans la foi nous sommes attirés vers les réalités d'En-Haut, nous sommes bel et bien tirés par le bas, les choses de la terre. Après avoir été très entourée au moment des obsèques, cette femme maintenant éprouve un vide qui lui donne le vertige. Seule. Immensément seule. Elle n'en peut plus de se coucher seule sans le baiser du soir, sans dire bonsoir. Elle n'en peut plus de ne mettre qu'une seule assiette sur la table, d'autant qu'au temps des enfants, il y en avait six! Eux, ils ont leur vie maintenant. Quand elle part en province passer quelques jours chez eux, les ébats de ses petits-enfants font bruisser en elle l'écho de l'inconsolable solitude. Mais le plus dur, c'est au retour, quand elle débarque sur le quai de la gare, sans être attendue, sans pouvoir partager ce qu'elle a vécu, sans personne pour lui demander : « Tu as fait un bon voyage? » Non! Celui qui est parti pour le dernier voyage sera, jusqu'à son dernier jour à elle, l'Absent. Irrémédiable absence. Sentimentalité? Déprime?

Alors elle s'était dit : « Ça ne peut plus durer comme ça! C'est pas possible, faut que je m'en sorte! » Elle était partie en voyage organisé. Plusieurs personnes de ce groupe avaient déjà voyagé ensemble. On sentait passer entre elles un courant de sympathie contagieuse, de sorte que « les nouveaux » étaient tout de suite intégrés. Et puis le père accompagnateur avait le charisme de mettre du liant, créer une atmosphère sereine faite de ces petits courants d'air frais que sont les attentions délicates prodiguées aux uns et aux autres, le mot qui touche. Elle-même reconnaissait que tout le monde était formidable avec elle. Elle n'aurait jamais imaginé qu'une telle qualité d'amitié puisse être possible. Malgré tout, elle avait des vagues de cafard, lames de fond qui montaient en elle comme une crue de

120

l'âme se déversant en larmes. Heureusement, elle était en « single » à l'hôtel. Seule, elle pouvait pleurer.

Il n'était plus là. Plus rien n'était et ne serait comme avant. Le bonheur qu'elle goûtait à admirer les paysages de ce pays fabuleux qu'elle visitait lui laissait un goût amer. Il n'était plus là pour les contempler avec elle. Qu'est-ce que la beauté quand on ne peut plus la partager avec celui qui a été une partie de vous-même? Alors elle se mettait à lui parler. Elle lui disait ceci en étant certaine qu'il lui aurait répondu cela. Comme s'il était là, près d'elle. Elle était mentalement absente du groupe. Le guide pouvait faire les commentaires qu'il voulait, elle ne suivait que ses pensées.

En revanche, elle était étonnamment présente au spectacle de ce site fait pour les dieux, créé de toute éternité pour marier les temples avec la nature. Elle remarquait des choses que les autres ne voyaient pas, peut-être parce qu'elle s'était mis dans la tête de tout raconter à celui qui maintenant, au Pays de l'Ombre, ne pouvait plus rien voir. Tout prenait une importance considérable, depuis ce lézard se prélassant en plein soleil sur les vestiges d'un autel des sacrifices, jusqu'à cette basilique antique qui n'avait rien trouvé de mieux, en guise de vitraux pour ses fenêtres béantes vers le ciel, que l'azur intense émaillé de cris d'oiseaux. Et puis elle revenait à ce qui se passait autour d'elle. Sur les marches défoncées d'un odéon — aux endroits où la terre avait repris ses droits — des oliviers avaient eu la bonne idée de prendre racine, ce qui conférait à ce savant désordre une élégance dont seule la nature a le génie. Sous leur feuillage, dans le crépitement des cigales, le groupe s'était assis pour écouter le mot du Père.

Et puis ce fut un long silence méditatif que personne

n'osait briser, tant il était sensible que tout le monde voulait retenir ce qu'un moment de sérénité a de rare. Elle pensait à la mort de celui qui avait été sa vie, lorsqu'elle s'aperçut que le groupe était parti. Elle pressa le pas pour le rejoindre devant un hippodrome devenu parterre de boutons d'or. Un monsieur, à quelque distance des touristes agglutinés autour du guide, engagea la conversation avec elle : « Quelle classe, toutes ces ruines! Habillées de ces fleurs printanières qui auraient fait rêver plus d'un impressionniste, elles ne sentent pas la mort. Vous ne trouvez pas? » Elle lui dit : « Il n'empêche! Ce sont bien des ruines! Comme moi! » Manière de se dire à elle-même : « Je suis ruinée. »

Elle pouvait se le dire! Elle était démolie, littéralement délabrée. Ruinée! C'est le mot. Il convient non seulement aux faillites financières, mais aussi à cette faille de l'âme que creuse la séparation d'avec « l'inséparable ». Entaille de l'être, brisure d'une existence dont on ne voit plus le sens. *Viduus, vidua,* en latin : « vide » qui a donné en français : veuf, veuve... Vide, solitude en soi-même qui ne consiste pas seulement à être esseulé. Combien de veufs et de veuves sont entourés de l'affection de leurs enfants, de leurs amis. Aussi compréhensifs soient-ils, cette consolation précieuse ne peut cependant pas colmater la brèche de la solitude.

Solitude métaphysique. Solitude sociale aussi. Longtemps le veuvage a été considéré comme une sorte de statut social, principalement pour les femmes qui avaient perdu leur mari. Elles se voyaient officiellement affectées de ce titre : « Veuve! » La Veuve Cliquot! Bien sûr, les temps ont changé. La veuve, dans l'Ancien Testament, était considérée, avec l'étranger et l'orphelin, comme un « pauvre ». Pauvre financièrement quand elle était tributaire de son mari pour vivre. Pauvre surtout par le regard de l'autre sur elle : la veuve? une délaissée?

Plus d'une aujourd'hui découvre brutalement comment – dans une société familialiste – est traitée la célibataire, considérée trop souvent comme mineure, de seconde zone, sans autre avantage que de payer partout « plein pot », alors que les familles plus riches qu'elle bénéficient d'allocations auxquelles elle n'aura jamais droit : puisqu'elle est seule! Une veuve me confiait qu'elle avait dû, pour des raisons financières, abandonner son appartement pour se rabattre sur un studio. Ses proches, pour la consoler, ne trouvaient rien de mieux à lui dire que : « Bien sûr, c'est petit... mais c'est gentil. C'est bien pour toi. Puisque tu es seule! » Bien que ce soit vrai, voilà ce que l'on trouve à dire seulement aux célibataires. La société trouve normal que l'on puisse vivre « petitement » puisqu'on est seule! Une autre veuve me disait qu'au moment des fêtes de Noël, des amis l'avaient invitée avec cette petite phrase : « On ne va quand même pas vous laisser seule! » Cette condescendance de la gentillesse lui avait fait mal, comme elle fait mal à tant de célibataires regardées comme si elles n'étaient pas des femmes à part entière.

Personnellement, affectivement, socialement, veufs et veuves sont loin d'être tous affectés de la même manière. Chaque cas est unique. Les réactions psychologiques sont diverses. Méfions-nous des clichés. Par exemple, les hommes seraient davantage « perdus » que les femmes devant les réalités matérielles. A voir!

Ce qui demeure vrai en tout état de cause, c'est bien le passage à vide que représente le veuvage. Cela surtout aux premiers temps de la solitude, quand, dans un partage de tous les instants, on avait mis son bonheur à ne rien

123

faire sans l'autre, à trouver son indépendance dans la dépendance voulue et consentie à celui qu'on aime.

Bonheur merveilleux que la vie conjugale lorsqu'elle est liberté conjuguée à tous les temps de l'amour. Quoi d'étonnant à ce que la mort de l'un des conjoints soit ressentie comme si l'on perdait connaissance de soi! On ne sait plus très bien qui l'on est. Perte d'identité qui fait penser à une crise d'adolescence, ce passage critique à effectuer entre le statut de l'enfance dépendant de la famille et celui de jeune adulte dépendant de lui-même! Tout serait simple si l'adolescent, dans le mouvement même où il revendique son autonomie de « grand », n'était pas encore pour une part un enfant, et même affectivement un grand bébé ayant besoin de câlins. Bien qu'ivre d'indépendance, il se raccroche encore à ses parents.

Toutes proportions gardées, il y a quelque chose d'analogue dans le veuvage. Le conjoint qui reste, peu à peu, prend le dessus, aspire à retrouver une vie équilibrée. Mais inévitablement il se raccroche encore à un heureux passé qu'il idéalise peut-être, se réfère aux anciennes valeurs qui empêchent ou retardent le moment où il sera pleinement capable d'assumer son autonomie, d'accueillir dans la sérénité une vie nouvelle.

POUR UNE VIE NOUVELLE

Qu'elle soit vécue au masculin ou au féminin, la solitude du veuvage révèle l'épreuve métaphysique de la « pauvreté d'être ». Vivre par soi sans pour autant s'enfermer en soi; vivre pour soi en demeurant disponible, réceptif aux autres, sans pour autant attendre tout des autres, telles sont les conditions requises pour vivre le temps du veuvage dans la sérénité. Reste à ramasser en soi les débris de l'ancienne demeure pour rebâtir un nouvel intérieur. Comment faire?

• Les psychologues disent : « Il faut laisser le temps faire le travail du deuil et la vie reprendre ses droits! » Il peut arriver que veufs et veuves se reprochent de ne pas avoir été « ce qu'il fallait » avec leur compagnon. Du même coup, les moments heureux du passé avivent la souffrance de ce qui est irrattrapable. Et même les bons souvenirs font mal. Le bonheur fait payer sa facture. Si certains ont tendance à idéaliser leur passé, d'autres découvrent que leur bonheur, taillé selon les normes d'un certain milieu social, n'était peut-être pas ce qu'ils en disaient!

• « Quitte ce qui fut! » conseille la Sagesse bouddhique. A toi de créer ta vie de manière nouvelle! Mais peut-on refaire sa vie? Je l'avoue, je n'aime pas beaucoup ce genre d'expression. Elle peut donner à penser qu'il est nécessaire de faire table rase de ce que l'on a vécu de bon dans le passé. Refaire sa vie! Je préfère dire : renaître sur la base d'une fidélité aux valeurs qui ont fait leur preuve pour en inventer d'autres. Mais il faut du temps pour créer un nouveau mode de vie et retrouver la sérénité.

Cette liberté créatrice ne peut germer qu'à la condition non seulement de mourir au passé, mais aussi mourir à celui qui est mort, pour ne pas entretenir de vains regrets. Je veux dire : « Mourir à celui qui a disparu! » Entendons-nous : ce langage peut paraître dur comme est dure la parole de Jésus : « Laissez les morts enterrer les morts! » Qu'est-ce à dire? Celui, celle qui vit avec les morts se condamne à vivre comme un mort. Mourir au conjoint qui n'est plus ne signifie évidemment pas le renier, l'oublier. Bien au contraire, pour honorer sa mémoire et lui être fidèle selon ce qu'il désirerait, il faut vivre soi-même comme un vivant. Facile à dire car, pour celui qui reste, c'est la mort dans l'âme qu'il faut tenter de retrouver goût à la vie. Parce que le chagrin est envahissant et le poids de la solitude obsédant, ce vouloir-vivre n'est pas seulement une question de volonté. Comment peut-on alors oser parler de sérénité quand on est ainsi accablé?

La foi en Jésus Christ mort et ressuscité ouvre un horizon. Le mystère pascal est loin d'être un refuge pour gens frileux. Il retentit comme un appel à réaliser comment les épreuves de notre existence peuvent donner consistance à ce mystère de mort et résurrection en nous, réalité fondamentale de notre baptême. On emploie souvent cette expression : « mourir à soi-même » comme s'il ne s'agissait que de mourir au péché. Mais la mort à soi-même, c'est aussi le consentement à renoncer à des valeurs positives — comme par exemple celles de la vie conjugale — pour naître à une autre vie... Alors, soyons cohérents : si les époux ne font qu'un, force est bien d'admettre que mourir à soi-même pour revivre une vie nouvelle entraîne inévitablement de mourir à celui qui n'est plus pour vivre dans l'espérance d'une relation radicalement autre. La sérénité de la foi est à ce prix : croire à un amour tout autre dans la communion des saints.

QUEL MONDE NOUVEAU?

Le grand saint Augustin imagine cette conversation d'un époux arrivé au ciel. Il s'adresse à son épouse sur terre. On croirait entendre qu'il lui dit « Ma chérie! » Écoutez...

« Ne pleure pas! » Ce sont précisément les paroles de Jésus à une veuve, celle de Naïm. « Ne pleurez pas comme ceux qui n'ont pas d'espérance », dit saint Paul. De quelle espérance s'agit-il? Car ce dialogue-fiction, pour humain qu'il soit, peut prêter à confusion. Autant ce désir si légitime de se retrouver « compagnons d'éternité » est évidemment très touchant pour des époux qui ont partagé tant de peines et de joies tout au long d'une vie d'amour, autant ce type de discours ne peut prétendre décrire la façon dont peut se vivre la relation entre ressuscités. Nous devons veiller à ne pas projeter notre expérience d'ici-bas sur les réalités inconcevables d'En-Haut.

N'empêche! Quand nos proches disparaissent, quand les êtres les plus chers que nous avons chéris sur terre nous quittent, nous sommes désemparés. Où sont-ils vraiment? Que deviennent-ils? Nous leur parlons. Entendent-ils nos prières? Les gens mariés auront-ils un avenir commun? Qui peut le dire avec autorité, sinon le Verbe de Dieu lui-même? On choisit bien souvent dans

« Ne pleure pas si tu m'aimes!

Si tu savais le don de Dieu et ce qu'est le Ciel!

Si tu pouvais voir se dérouler sous tes yeux les champs
et les horizons éternels, les nouveaux sentiers où je marche!

Si tu pouvais, un instant, contempler comme moi la
Beauté

devant laquelle toutes les beautés pâlissent!

Quand, au jour que Dieu connaît et qu'il a fixé,
ton âme viendra dans le Ciel, ce jour-là, tu reverras
celui qui t'aimait et qui t'aime encore, tu retrouveras
son cœur, tu en retrouveras les tendresses épurées.

Essuie tes larmes : ne pleure plus si tu m'aimes. »

« Ne pleure pas! » Ce sont précisément les paroles de
Jésus à une veuve, celle de Naïm. « Ne pleurez pas
comme ceux qui n'ont pas d'espérance », dit saint Paul.
De quelle espérance s'agit-il? Car ce dialogue-fiction, pour
humain qu'il soit, peut prêter à confusion. Autant ce
désir si légitime de se retrouver « compagnons d'éternité »
est évidemment très touchant pour des époux qui ont
partagé tant de peines et de joies tout au long d'une vie
d'amour, autant ce type de discours ne peut prétendre
décrire la façon dont peut se vivre la relation entre
ressuscités. Nous devons veiller à ne pas projeter notre
expérience d'ici-bas sur les réalités inconcevables d'En-
Haut.

N'empêche! Quand nos proches disparaissent, quand
les êtres les plus chers que nous avons chéris sur terre
nous quittent, nous sommes désemparés. Où sont-ils
vraiment? Que deviennent-ils? Nous leur parlons.
Entendent-ils nos prières? Les gens mariés auront-ils un
avenir commun? Qui peut le dire avec autorité, sinon le
Verbe de Dieu lui-même? On choisit bien souvent dans

l'Évangile ce qui nous arrange, ce qui nous console. La Parole est à Jésus!... Mais son langage peut paraître dur.

Rappelez-vous, dans l'Évangile, le traquenard que les Sadducéens lui tendent au sujet de cette femme qui avait eu sept maris. « De qui, lui demandent-ils, sera-t-elle l'épouse? » Jésus, conformément à son habitude, élève le débat. La question n'est pas là. Il déclare : « Dans le Royaume des Cieux, plus question de mariage! Il n'y a plus ni homme ni femme. On est comme des anges. » Manière de faire comprendre l'originalité du Monde Nouveau, radicalement autre que le nôtre. Manière de clouer le bec à tous ceux qui veulent absolument imaginer ce Monde Nouveau sur le modèle de notre monde terrestre. Saint Paul nous assure que nos corps seront « spirituels », c'est-à-dire transfigurés, glorieux. Tout ce qui est lié à l'incarnation aura disparu. Ici-bas, nos rapports avec autrui passent inévitablement par la médiation de nos corps sexués, de notre intelligence et sensibilité. « Là-Haut » (manière de parler) nos limites éclateront. Jamais notre prochain n'aura été aussi proche car notre vie ne sera plus embuée par ce qui la rend opaque. Ce sera le règne de l'universel. La communion des saints ne sera pas pour autant un grand magma anonyme, mais lieu par excellence de la transparence. Jésus nous l'assure : « Il y a plusieurs demeures dans la Maison du Père. » N'est-ce pas nous faire comprendre que chacun, chacune sera reconnu dans son originalité, sa différence de personne unique, irréductible aux autres?

Ne vous inquiétez pas! Que votre sérénité soit totale! Tout se passera bien parce que tout se passera en Dieu. Tout passera par Dieu. Sa lumière sera notre lumière. Dans cette clarté, nous verrons l'autre comme Dieu le voit. Selon la Parole de l'Évangile : « Il n'y aura plus

rien de secret qui ne doive être dévoilé, connu de tous! »
L'amour ne sera plus clos à l'intérieur des inévitables
barrières que sont pour l'autre le couple, la famille, la
nation. Le frère ne sera plus une gêne pour le frère. Tout
le monde sera à sa place à la table de la joie, préfigurée
par l'Eucharistie. L'Alliance éternelle et toujours nouvelle
sera enfin réalisée.

En attendant, l'espérance n'est pas un rêve idyllique,
mais épreuve de la foi, confiance en la promesse que
Dieu nous fait de son bonheur. Non pas comme nous
pourrions le souhaiter, mais comme Lui, Dieu, le veut
pour notre joie dans la communion avec Lui dont Thérèse
d'Avila a eu l'intuition dans ce cri amoureux : « Dieu
seul suffit. »

Mais honnêtement, qui peut dire cela? Nos vies sont
si embourbées dans les soucis de toutes sortes, si dépen-
dantes des autres et tellement à l'affût d'un bonheur à
notre échelle, que nous avons bien de la peine à imaginer
que Dieu seul pourra nous combler... Et pourtant, c'est
bien ce que saint Paul nous révèle : « Dieu sera tout en
tous. » Le bonheur éternel? Dieu, rien de plus! Dieu,
c'est tout! Plénitude de la sérénité!

LE VIEILLISSEMENT
« Un âge s'en va, un âge s'en vient »

AU REGARD DE L'ÉPREUVE

Déjà l'automne! Octobre offre encore de belles journées ensoleillées, mais le printemps avec ses brassées de lilas s'acheminant vers l'été est quand même plus exaltant que la plus belle des arrière-saisons avec ses feuilles mortes, glissant de manière inexorable vers l'hiver. La montée du jour vers une lumière toujours plus longue est quand même plus dynamisante que la descente vers la froide nuit. On a beau s'extasier devant le flamboiement des couleurs automnales quand la braise embrase les forêts d'érables, une odeur de cendre plane sur nos âmes, augure de la mort certaine. Autant dire que le printemps est mystère joyeux, l'été mystère glorieux, l'automne mystère douloureux, plus douloureux même que l'hiver, en ce sens que la mort, une fois venue, n'est plus à redouter. Elle n'est plus rien.

Automne, douloureuse saison! Chaque année, la nature se voit condamnée à revenir à la mort végétale, comme si le printemps n'avait été qu'une illusion et l'été une tromperie, comme chante Prévert :

« L'été trop court
Les rêves qui s'enfuient
Que reste-t-il des serments de l'Avril ? »

Automne, troisième saison de l'âge, douloureuse à
certains égards, mais heureuse quand on considère qu'elle
est en montée continuelle vers ce qui sera la pleine lumière.
Et c'est bien là la différence radicale avec la nature, qui
passe de manière cyclique de la mort à la vie et de la
vie à la mort, tournant en rond comme la terre autour
d'elle et du soleil. La nature humaine, elle, tendue vers
l'éternité, est en perpétuelle progression vers la Résurrection. Elle ne revient jamais en arrière.

On a donc raison de parler de « vie montante », de
marche en avant, à condition de ne pas tenir un discours
lénifiant sur l'épreuve que représente le vieillissement :
tout d'abord le fait de sentir son corps vous lâcher, devenir
un fardeau, vous disant un peu plus chaque jour dans
votre chair que vos jours diminuent et que l'hiver est
proche. Souffrance morale quand la douleur — les petites
et les grandes —, devenue la compagne assidue de toutes
vos heures, vous rappelle que vous ne pouvez plus, avec
la meilleure volonté, faire comme avant.

On dit à la légère : « On ne peut pas être et avoir
été. » Mais que signifie « avoir été » ? Car, au-delà des
marques du passé : cheveux gris, rides, évolutions du
caractère, il y a une permanence de l'être. Malgré les
variations qui opèrent des changements dans une vie, on
demeure identique à ce qui nous constitue substantielle-
ment comme personnalité unique. Même dans les cas
extrêmes de sénilité profonde ou de décrépitude mentale,
la dignité humaine de la personne demeure ce que l'on
a été depuis le premier jour : une personne sacrée. Il

serait donc plus exact de dire : « Par la force des choses, on ne peut plus paraître ce que l'on paraissait dans la force de l'âge. » Cette souffrance de ne plus pouvoir dissimuler aux autres les méfaits de l'âge pourrait être taxée de vanité blessée. En fait, c'est beaucoup plus profond. Il ne s'agit pas de frivolité. Le « paraître » fait partie de la condition humaine. L'homme ne peut communiquer qu'à travers les signes qu'il perçoit, autrement dit à travers l'apparence que prend le corps humain. Quand il flanche, c'est une souffrance en notre chair, au plus profond de nous, mais aussi en notre forme : ne plus apparaître aux regards des autres « en pleine forme », c'est se sentir diminué.

Quand le corps humain s'amoindrit, la relation à autrui varie selon les cas. Bienheureuses les personnes âgées qui – selon le commandement de Dieu – sont honorées par leurs enfants affectueux, entourées de proches chaleureux, elles trouvent là ce à quoi elles sont si sensibles : tendresse et délicatesse. Malheureuses celles qui ont l'impression d'être quantité négligeable, inutiles, pire : inessentielles, elles se cloîtrent dans une solitude qui est mort dans l'âme. Épreuve crucifiante du vieillissement. Après un voyage de groupe que j'avais animé, je raccompagnai chez elle une dame d'un âge plus que certain. Elle m'avait confié son appréhension de se retrouver brusquement toute seule, sans personne avec qui échanger sur les souvenirs des beaux jours. Qui serait là pour l'accueillir ? Peut-être une lettre ? Mais de qui ? Son fils, en province – qu'elle voit au moment « des fêtes » – n'écrit jamais ! Quel ami ? Elle ouvre sa boîte aux lettres débordante de prospectus. Au milieu de ce tas de papiers inutiles qui tombent par terre, elle trie... une enveloppe du percepteur, une facture d'électricité, un imprimé de la Sécurité sociale. Je la vois dépitée. C'est dur dans ces cas-là de dire au revoir, de laisser seuls ceux qui sont vieux et délaissés. Devant la solitude, on est démuni. Facile de parler d'intériorité, de dire qu'avec Dieu on n'est jamais seul, qu'il faut s'assumer. Il n'empêche que les humains demeurent des mendiants de la relation humaine. Nous sommes bêtes... de compagnie!

Mais toutes les personnes âgées ne connaissent pas cette épreuve de la solitude. Dans le meilleur cas, comment affronter le vieillissement dans la sérénité?

Le mot vieillesse évoque quelque chose de statique. De nos jours, c'est mal porté. Je préfère vieillissement. Pour moi du moins, ce mot implique une progression — lentement mais sûrement — avant d'atteindre le terminus de l'existence. C'est seulement au moment ultime de franchir le seuil de l'Éternité, que l'on peut se dire : arrivé! Sur terre, on n'est jamais arrivé parce que, jusqu'à la dernière heure, on n'est pas totalement accompli. « Tant qu'il y a de la vie, il y a de l'espoir », clame le dicton. Tant qu'il y a de la vie, il y a un progrès possible, du moins en théorie et au point de vue spirituel. Savoir que l'on peut toujours aller plus loin en soi est un des éléments de l'espérance chrétienne. Cela surtout quand le temps se rétrécit. Tant que nous sommes sur la terre, le temps qui nous est donné de vivre a donc, entre autres, ce sens de pouvoir édifier l'homme intérieur, afin de parvenir à ce que saint Paul appelle « la taille adulte » de l'homme. Chaque âge est l'âge de vivre. A chacun de se demander où il en est. Qu'est-ce que Dieu attend de mes plus ou moins vieux jours que je suis en train de vivre en ce moment, pour me dépasser, tant qu'il en est temps?

Chaque âge a sa grâce. Quelle est celle du grand âge? Quelle est ma grâce à moi, ma grâce habituelle depuis le premier jour, ma grâce actuelle qui me stimule alors que je vieillis? En quoi puis-je « être plus » spirituellement alors que mon corps m'abandonne? Réponse de saint Paul : « L'homme extérieur en nous s'en va en ruine, l'homme intérieur, lui, se renouvelle de jour en jour » (2 Co 4, 16). Par quel miracle? Un prodige sans tapage : celui de la liberté que l'Esprit fait sourdre en nous : merveilleuse liberté intérieure!

• *Liberté* dans notre relation à Dieu, par rapport à un langage dogmatique, liturgique, moral, qui l'enferme dans des images dont il n'est pas sûr qu'elles illustrent exactement ce qu'Il est...

• *Liberté* par rapport aux mœurs d'Église, dans une lucidité qui amène à discerner ce qui relève purement de la fidélité à l'Évangile et ce qui procède d'une discipline avec laquelle il n'est pas toujours évident que Jésus soit d'accord.

• *Liberté!* Son fruit le plus mûr est ce que j'appellerais « la sainte indifférence ». Non pas un désintérêt hautain des autres, mais l'audace tranquille d'être ouvertement soi-même. Liberté de dire ce que l'on pense : à force d'être muselé par les convenances et de ravaler sa salive par peur de choquer, on affadit le sel qui est en soi-même. Vient donc l'âge où l'on peut s'affranchir de ce qui mutile la part de vérité que l'on porte en soi.

• *Liberté* de parole mais aussi d'action : faire ce que l'on a envie de faire sans se demander ce que les voisins vont penser. Elle est merveilleusement mise en scène dans ce film où l'on voit « la vieille dame indigne » s'en donner à cœur joie.

- *Liberté,* joliment exprimée dans ce petit *vade-mecum* du bon retraité que nous donne le sage Qohélet. Il l'invite à bien se traiter, à toujours mieux se re-traiter au fil des jours afin que, dans toute la mesure du possible, il puisse dire : « Oh, les beaux jours! »

> « Si l'homme vit de longues années
> qu'il profite de toutes. Et qu'il se rappelle
> que les jours sombres seront nombreux!
> Éloigne de ton cœur le chagrin!
> Va, mange ton pain dans la joie,
> Bois de bon cœur ton vin,
> Porte toujours des habits blancs,
> Parfume-toi la tête.
> Tout ce que tu trouves à entreprendre
> Fais-le tant que tu peux. »

Qohélet 11, 8-10; 9, 7-10

« *Va, mange ton pain dans la joie* »

Sache te recevoir toi-même! Gâte-toi! Que la mère de famille qui a connu dans son plus jeune temps les servitudes des vaisselles, des lessives, du ménage et autres tâches ingrates, se simplifie l'existence, se donne le minimum de charges, quoi de plus compréhensible. Ne néglige pas pour autant les petits bonheurs que tu peux te donner, invente-toi des temps de joie où tu sauras te dresser une table fleurie. Accueille-toi afin que le pain de chaque jour demandé dans le Notre-Père ne soit pas le pain rassis de l'ennui, mais le pain tendre d'une certaine fête de vivre,

135

pain tendre partagé avec les autres. Et puisque maintenant tu es maître de ton temps, pourquoi le pain de l'Eucharistie ne deviendrait-il pas, de temps en temps, pain vivant au cœur de la semaine! Pain fortifiant dans l'émiettement des jours... Tant qu'à faire, pourquoi ce temps libéré de contraintes qui dans le temps te faisaient maugréer, ne deviendrait-il pas temps de contemplation, le temps retrouvé de prière libre, libérée des clichés, des formules toutes faites, libre d'être avec Dieu dans la liberté des enfants de Dieu. Voilà la sérénité!

« Porte toujours des habits blancs »

Sois fidèle à toi-même! Le blanc, c'est la couleur de la dignité d'être un homme et non pas seulement de la pureté réservée au domaine de la sexualité. L'aube, le vêtement blanc dont sont revêtus le baptisé, l'enfant qui fait sa profession de foi, le prêtre qui célèbre les sacrements, est symbole de l'intégrité de la personne dans l'intégralité de son histoire : ce qu'il a été, ce qu'il est, ce qu'il sera dans l'éternité, corps transfiguré. Le blanc, c'est la couleur de la fragilité du temps. Le temps nous salit et nous use. On a le corps que l'on peut, mais aussi, d'une certaine manière, le corps que l'on veut. En tout état de cause, on est responsable de son corps : l'hygiène de vie, le régime, le sport et combien d'autres efforts sont à respecter.

La façon de s'habiller n'est pas seulement effet de coquetterie, car si notre vie, dit l'Évangile, est plus que le vêtement, le vêtement, lui, est plus qu'un simple revêtement pour couvrir sa nudité et se garantir du froid. Il est signe de notre tenue intérieure. Je garde de ma mère le souci qu'elle avait de « se tenir ». Un certain sens de l'honneur d'être. L'honneur d'être corps. Jusqu'au bout. Comme une action de grâce au Fils de Dieu qui a pris corps pour revêtir notre humanité. Les architectes mettent bien tout leur art à bâtir des cathédrales les plus belles possible afin de recevoir le corps du Christ. Pourquoi nous, chrétiens, négligerions-nous la beauté du Temple que nous sommes, voulu par Dieu pour recevoir sa chair dans l'Eucharistie?

Tout ce que tu trouves à entreprendre,
fais-le tant que tu peux

• Sois en état d'amour avec toi-même, avec les autres, disponible pour les services de toute nature, si tu le peux, pour un bénévolat compétent.

• Aménage-toi un intérieur où tu auras plaisir à te retrouver, dans cette présence à toi-même qui ne fait qu'un avec la présence de Dieu. Au moment d'appareiller en direction de l'Éternité, puisses-tu alors vivre ta mort comme l'effort ultime vers la sérénité sans fin. Cela sans te préoccuper de savoir quelles affaires prévoir pour le dernier voyage. Au Paradis, on arrive avec seulement une rose à la main. Au pays de là-bas, tout est gratuit. Tout est donné. La seule affaire, c'est d'aimer.

Le troisième, le quatrième âge m'apparaissent comme le temps où Dieu nous fait cette grâce très spéciale du « bon débarras » ou, si vous préférez un mot plus évangélique, la grâce du détachement. Quand il est temps de faire sa valise pour le pays de l'éternel été, il ne s'agit plus de se demander : « Que vais-je emporter? » mais « Que vais-je laisser? ». Le temps se charge de faire le tri. Les relations superficielles se défont et les critères d'authenticité sont de plus en plus clairs. Subsistent les vraies valeurs, les vrais amis, en somme la gratuité, la sagesse, la fidélité...

Bref, la meilleure manœuvre à faire pour accoster au quai de l'Éternité, c'est encore de bien mener sa barque jusqu'au bout, de vivre paisiblement « maintenant, jusqu'à l'heure de notre mort ».

AU REGARD DE LA MORT

Chaque mort est singulière. Chaque mort est solitude. Qui peut dire ce qui se passe en celui que l'on assiste au moment de passer sur l'autre rive, emportant avec lui le secret de sa vie unique, le secret scellé de sa mort à lui? Et pourtant, l'originalité de chaque mort n'empêche pas la mort d'être d'une affreuse banalité. La mort a quelque chose d'animal; le combat de la bête avec l'instinct de la vie. Le malade qui est à bout, au bout de sa nuit, prostré dans sa souffrance, obsédé par elle, épuisé par elle, n'a souvent ni le goût ni la force de prier. La plupart du temps, il ne faut pas s'attendre — quand le dernier moment arrive — à des paroles sublimes, des élévations mystiques, des confessions extraordinaires.

J'ai toujours été frappé de ce décalage vertigineux entre ce que représente l'enjeu de la mort et l'insignifiance des détails qui, au dernier moment, préoccupent le mourant, comme si pour se raccrocher à la vie il avait besoin d'être terre à terre, comme s'il voulait demeurer sur terre avant d'y être plongé.

Voici donc ce qui apparemment habitait le champ de conscience d'une vieille dame amie. Sentant la fin venir, elle m'avait fait demander à son chevet. Je lui avais promis d'être là pour l'aider à faire le passage quand l'heure serait venue. L'heure était venue. Mais ni elle ni moi ne nous doutions qu'elle ne durerait pas soixante minutes... Faire le passage! Pour elle, qu'est-ce que cela signifiait vraiment? Je connaissais son agressivité vis-à-vis de la religion, ce qui la bloquait dans l'Église, mais je savais également quelle était sa foi, aussi réelle que révulsée. Qu'attendait-elle de moi? Que voulait-elle? Une présence affectueuse? Prier ensemble? Se confesser? Ne voulant rien brusquer et en même temps me montrer disponible, je lui demandai donc ce que je pouvais faire pour elle, avec elle. Dans un état à la fois d'épuisement total et d'énervement fébrile, elle me fit signe d'ouvrir la fenêtre. Ce que je fis.

Elle : Non, pas comme ça.

Moi : Comment?

Elle : Un seul battant, à moitié! Non, c'est trop!

Moi : Là, voilà... Comme ça?

Elle : Non, c'est pas assez! Ouvrez plutôt l'autre!

J'ouvre l'autre battant. La comédie a duré cinq minutes. L'infirmière entre avec un yaourt au chocolat. « Il faut manger, Madame! Vous allez vous affaiblir. »

Elle : Non, ça me fait vomir.

Voyant mon amitié pour elle, l'infirmière me demande de la faire manger moi-même (elle est paralysée). « Faites-moi plaisir, là, cette petite cuillère... » Elle refuse. Elle me dit qu'elle veut dormir. Elle ferme les yeux. Elle dort un peu. Je lui essuie les lèvres dégoulinantes de yaourt. Je lui mets de l'eau de Cologne sur le front. Je l'embrasse. Je n'entends plus sa respiration. Elle s'est endormie pour toujours. Elle est morte. Comme ça! Je reste là, anéanti. Qui aurait pu prévoir que « ça se passe si vite »? Qui aurait pu prévoir que pour célébrer ce passage de la mort à la vie éternelle, on n'ait pas fait autre chose que d'ouvrir une fenêtre et donner un yaourt à la petite cuillère?

J'étais venu en ami avec l'éventualité de célébrer un sacrement. L'humanité de Dieu, que nous pouvons rendre sensible à travers les gestes d'amour les plus humains, a été ce sacrement de la présence du Christ qui a dit : « J'étais malade, vous m'avez visité. » Que savons-nous de ce qui s'est passé d'invisible en cette femme apparemment soucieuse seulement de faire ouvrir une fenêtre comme ceci ou comme cela? Quelle fenêtre sur l'Au-delà voulait-elle ouvrir plus largement?

« Veillez et priez, recommande l'Évangile, vous ne savez ni le jour ni l'heure! » Cette dernière heure n'est pas la seule inconnue. Qui peut dire comment il réagira à cet instant de l'« *In manus tuas* »? « Entre tes mains, Seigneur, je remets mon esprit »... Inconscience? Angoisse? Sérénité?

Au dernier jour, j'aimerais avoir assez d'humour pour dire :

> « Souhaitez-moi bon voyage, mes frères! Je vous tire ma révérence.
>
> Voici, je mets mes clefs sur la porte. Accordez-moi seulement au départ quelques bonnes paroles. Un appel est venu et je suis prêt pour le voyage.
>
> Souhaitez-moi bonne chance, mes amis. Le ciel est rougissant d'aurore; le sentier s'ouvre merveilleux.
>
> Ne me demandez pas ce que j'emporte. Je pars les mains vides et le cœur plein d'attente.
>
> Je mettrai ma couronne nuptiale. Je n'ai pas revêtu la robe brune des pèlerins; sans crainte est mon esprit bien qu'il y ait des dangers en route.

Au terme de mon voyage paraîtra l'étoile du soir, et les plaintifs accents des chants de la vesprée s'échapperont soudain de dessous l'arche royale. »

Extraits de L'Offrande lyrique
Rabindranath Tagore

TROIS GRÂCES

« Nous implorons qu'en vue de mer il nous soit fait promesse d'œuvres nouvelles : d'œuvres vivaces et très belles, qui ne soient qu'œuvre vive et ne soient qu'œuvre belle. »

Saint-John Perse, *Amers*

ARRIVER A BON PORT

« La lune était sereine et jouait sur les flots. » Je m'amusais à laisser glisser dans ma mémoire cette musique fluide des mots sur la portée de ce vers parmi les plus beaux de Victor Hugo, dans *Les Orientales*. Ce qui longtemps m'avait paru un poncif devint en cette circonstance une révélation. Nous étions aux dernières heures de la nuit, dans un petit port de l'Atlantique, prêts à embarquer. La paix qui régnait dans ce havre désert nous remplissait d'un sentiment de souveraineté. Maîtres des lieux, nous étions puérilement fiers de transgresser la banalité des rythmes quotidiens qui fait que tout le monde se lève, mange et se couche en même temps. Le vent frais qui précède l'aube trouvait drôle de pincer les drisses des bateaux comme s'il voulait accorder des violoncelles. L'écorce du silence craquait sous nos pas et nos appels à mi-voix. Tout contribuait à créer une atmosphère de sérénité dans ce bonheur bien particulier de partir en mer avant que le jour ne se lève...

En l'occurrence, ce n'était plus la lune sereine qui jouait sur les flots, mais moi-même. Et je jouais avec cette réminiscence des récitations de mon enfance. Comme une vague déferlant du large de mon passé lointain, je laissais affleurer en ma mémoire les traces de ce que j'étais devenu. Je laissais venir à moi les souvenirs qui me permettaient de savoir d'où pouvait bien venir, en cet instant, cette bouffée de sérénité qui m'étreignait. J'étais en train d'idéaliser ce qui avait été le bonheur de mes vacances de petit garçon en Bretagne.

Ma grand-mère nous accompagnait sur la grève du Korréjou, près de Plouguerneau. Nous allions à marée basse ramasser coques et bigorneaux entre les charrettes de goémon. Leurs roues, qui enfonçaient dans la vase mouillée, faisaient une musique enrouée que j'entends encore. C'était un vrai plaisir de voir notre grand-mère quand, marchant pieds nus en retroussant ses jupes pour esquiver les trous d'eau, elle s'écriait : « O gal! » Rien ne valait les grandes promenades à Lilia, à la pointe de Kastell Ac'h, d'où l'on pouvait admirer le phare de l'île Vierge, qui, la nuit tombée, balayait ma chambre à travers les volets mal clos, lançant des jets de lumière à répétition qui donnaient aux motifs du papier peint des airs fantomatiques. La sérénité a besoin de faire mémoire des temps heureux, de transposer dans le présent les moments de grâce que l'on a vécus, le passé que la conscience enjolive.

Nous venions de sortir du port. Là encore, je m'amusais à fixer aussi longtemps que possible les feux du chenal posés sur la jetée comme deux étoiles. Bonheur de prendre la mer. Se laisser prendre par la mer. La mer pour la mer. « Être-en-mer. » Devenir étendue et mouvement. Mais le bonheur n'est pas seulement de naviguer, c'est

146

d'arriver au port. Joie d'accoster quand tout s'est bien passé. A plus forte raison quand il y a eu des difficultés. Je me souviens donc de cette sortie en mer qui avait si bien commencé et qui a failli mal se terminer, parce que le vent avait tourné. La tempête s'était levée sans prévenir. Le bateau avait passablement dérivé. La nuit était tombée. La lune ne jouait plus sur les flots. Pendant des heures et des heures, nous étions hypnotisés par le phare de l'île sur laquelle nous avions mis le cap, mais la côte semblait reculer au fur et à mesure que nous pensions nous en rapprocher. Illusion d'optique, bien sûr... Enfin, nous arrivâmes à bon port. Celui qui n'a jamais navigué sur une coque de noix en plein océan, ne sait pas quel bonheur représente le moment précis où l'on arrive à quai.

Partir et arriver. La sérénité est faite à la fois de cette finalité qui motive l'homme à tendre vers un but et de cette stabilité qui donne de pouvoir se retrouver en lieu et place de soi-même. On atteint cette sérénité quand on parvient à équilibrer cette double aspiration de l'homme toujours en quête de quelque chose et cependant heureux d'être arrivé.

La sérénité est autre chose que le confort d'un bonheur installé. Elle est même détachement par rapport au bonheur, de telle sorte que, lorsqu'il ne peut être atteint, elle a toute liberté d'esprit pour poser un regard réaliste sur la vie et accueillir le possible avec sagesse. Mais pourquoi certains savent-ils toujours voir le bon côté des choses alors que d'autres, quoi qu'il arrive, ont l'esprit chagrin? La sérénité ne serait-elle alors qu'une question de tempérament, d'hormones, privilège des optimistes portés à voir la vie en rose? Il est vrai, pour une part, que l'aptitude à la sérénité est déterminée par le composé chimique qu'est l'être humain, conditionné par les réactions de son psychisme. Mais pour cette part mystérieuse de la liberté qui nous est offerte, l'homme a toujours la possibilité « de chanter sous la pluie » ou de maugréer.

Ainsi le sage bouddhiste Thich Nhat Hanh déclare : « Le bonheur est à la portée de tous. Il n'y a qu'à se servir... Ne gâchez pas votre vie! Tous les jours, jusqu'au bout, soyez en vie! Donnez envie de la vie! » Vision bien optimiste qui est celle du club Méditerranée lorsqu'il affiche son slogan : « Le bonheur si je veux! » Pour le moins arrogant, quand on songe à tous ceux qui « voudraient bien » et ne le peuvent pas, mais également combien vrai et stimulant par rapport aux pleurnicheurs de l'existence, jamais contents!

« *Aïta pea pea...* seul le bonheur est important », disent les habitants de Tahiti. Je dirais plutôt seule la sérénité est essentielle, elle est l'âme du bonheur, son état de grâce ou plutôt le mouvement, l'harmonie de ces trois grâces qui la caractérisent « essentiellement » : Gratuité – Sagesse – Fidélité. Les trois grâces de l'Unité divine :

La Gratuité caractérise l'amour du Père qui nous est offert.

La Sagesse caractérise l'amour de l'Esprit dans l'effusion de sa présence invisible.

La Fidélité caractérise l'amour du Fils dans l'accomplissement de sa mission sur terre.

GRATUITÉ
« La rose est sans pourquoi »

La source

En ce temps-là, le tourisme n'avait pas encore perverti l'innocence de la côte lycienne en Turquie. Le matin, avec mes amis, nous allions faire une cure de désert sur la plage inviolée de Patara. A l'aplomb des dunes dormaient, ensablées, les ruines romaines de l'ancien port, où saint Paul fit escale. Nous restions là plongés dans le silence de la mer. « La mer, en nous, comme dit Saint-John Perse, portant son bruit soyeux du large et toute sa grande fraîcheur d'aubaine par le monde. » Pleine mer, plénitude de soi-même. Rien que la solitude habitée par tout ce qui peuple une âme. Rien que le silence crépitant dans l'ardeur du soleil. Rien que l'éclat de la lumière progressant d'heure en heure dans les lueurs d'airain et de mauve diffuses dans la brume de chaleur.

Vers midi, nous apercevions un point venir de l'horizon. Peu à peu, il s'amplifiait jusqu'au moment où ce que nous pensions être un mirage laissait deviner une silhouette humaine. C'était un Turc, jeune, menu, sec, résistant comme une chèvre. Tous les jours, il faisait au pas de chasseur l'aller-retour de ce rivage s'étendant sur plus de dix kilomètres. Nous étions fort intrigués. Pourquoi cette marche qui paraissait sans but, sous un soleil ardent? Tenant à la discrétion, nous n'osions lui faire signe. Lui-même, timide, ralentissait en passant près de nous puis repartait à son allure. Et puis un jour, nous sortîmes de notre réserve : saluts amicaux, quelques mots en anglais piteux, bref nous fîmes connaissance.

Il s'appelait Youssouf. Il nous délivra de notre curiosité : son marathon quotidien était un entraînement en vue des sports martiaux qu'il pratiquait. Nous lui fîmes sentir notre amour du pays. La sympathie, elle aussi, fit son chemin. Il nous invita dans sa famille, qui habitait un hameau comme nous n'en verrons plus. Le grand-père et le père, entourés d'enfants, nous offrirent la plus gracieuse des hospitalités : le thé, bien sûr, accompagné d'une galette rustique. Les femmes servaient et se taisaient. Après avoir pris le temps d'être en famille, Youssouf se leva et nous fit signe de le suivre. Nous nous demandions ce qu'il voulait nous montrer. Nous lui emboîtâmes le pas le long d'un infime cours d'eau bordé de feuillages, de fleurs, d'herbes hautes et hirsutes. Nous ne comprenions toujours pas le but de cette randonnée improvisée — où voulait-il en venir? — jusqu'au moment où, comme dans un ravissement, Youssouf s'arrêta. Nous étions arrivés. Mais où, et qu'y avait-il de si extraordinaire? Grave et hiératique, il se baissa en silence. Il dirigea son index vers un point de ce petit ruisseau, paradis de lauriers-roses, d'où se dégageait un parfum de sérénité que jamais je n'avais ressenti de cette manière. C'était le jaillissement d'une source. Mystère de la terre entrouverte, matrice donnant naissance à un filet d'eau mêlée de boue. Youssouf était ému de nous faire découvrir son trésor.

C'était à croire qu'il venait là régulièrement comme en pèlerinage pour contempler ce don du ciel : la source. Ce jour-là, dans cette amitié partagée sans rien attendre d'autre que l'amitié, j'ai mieux compris encore ce que pouvait être la gratuité : la grâce première de la sérénité.

Belle histoire! Un conte de fées, presque... Quand quelqu'un, comme ce jeune garçon, agit de manière aussi belle et désintéressée, on a peine à y croire. On demeure béat d'admiration. La gratuité est une valeur rare. Valeur évangélique par excellence, essentielle à la vie parce que essentielle à l'amour. Sans la gratuité, comment connaître la joie de donner sans compter, de pardonner?

Mais la gratuité ne concerne pas seulement la vie privée. Elle s'applique aussi à la vie en société. Qu'en est-il, par exemple, de l'économie et de cette « économie du Salut » dont parle la foi chrétienne?

I. L'économie

« INTÉRÊT ET PRINCIPAL »

D'un point de vue strictement personnel, la gratuité peut s'exercer selon le bon vouloir de chacun. Nous avons la possibilité, dans nos rapports avec les autres, dans la conduite de nos affaires personnelles, de faire preuve de désintéressement. Il en va tout autrement au plan des affaires de ce monde. La gratuité, hypothéquée par l'économie dite libérale, fait figure d'utopie. La gratuité est malmenée par les lois qui régissent les systèmes de production et de consommation, avec les incidences financières que supposent les échanges commerciaux. A la

151

bourse des valeurs du monde des affaires, la gratuité n'est pas cotée. Seul le profit compte.

L'effondrement du communisme, en cette fin de siècle, manifeste suffisamment l'évidence des déterminismes économiques pour ne pas avoir à insister davantage sur ce point : ce n'est pas l'idéologie — encore moins l'idéal — qui gouverne le monde, mais bien cette inévitable économie de marché donnant lieu à toutes les spéculations possibles. Singulièrement en France, pour ne prendre qu'un exemple : l'accession au pouvoir du parti socialiste confirme bien la règle : rien n'a changé parce que rien ne pouvait changer.

« Foi d'animal... intérêt et principal », dit la cigale à la fourmi. Traduisons : le principal, c'est le capital! L'on sait trop les méfaits d'un capitalisme pervers pour s'appesantir ici sur ce qui est répété partout. Certes, on ne dénoncera jamais assez l'exploitation de l'homme par l'homme, mais reconnaissons que cela ne nous coûte pas trop cher. Plus efficace de se demander si, dans sa propre vie, on ne devient pas un loup pour son frère... Foi d'animal? Et la foi de l'homme? Qu'est-ce qui est principal pour moi? Le désir de posséder? L'intérêt ou la gratuité? Faut-il sombrer dans un manichéisme qui reléguerait l'intérêt dans « les choses du mal » et la gratuité dans « les choses du bien »? Simplisme, bien sûr. Est-ce condamnable de rechercher son intérêt tant au point de vue matériel que psychologique? Mieux vaut plutôt savoir comment situer de manière réaliste la gratuité par rapport à un intérêt légitime.

L'intérêt n'est pas *a priori* mauvais en soi, c'est la façon de le vivre qui peut être sujette à caution. L'intérêt est vital au plan de notre survie. Si l'on n'éprouvait aucun intérêt à manger, on finirait par perdre l'appétit, devenir

152

anorexique et mourir. L'intérêt est instinctif, lié au plaisir plus ou moins conscient que le Créateur a attaché à la fonction de nutrition. Plus profondément, il est source d'énergie. Il dynamise l'agir humain. Le professeur, pour stimuler ses élèves à travailler, ne cesse de leur répéter : « C'est dans votre intérêt. » En tout état de cause, on cherche toujours, dans la mesure du possible, à faire ce qui nous intéresse. Quoi de plus normal! Quand on ne trouve aucun intérêt à exercer son métier, accomplir ses tâches quotidiennes, il faut bien que l'on soit intéressé à autre chose qui donne sens à la vie, sinon c'est la dépression. L'intérêt motive nos actes apparemment gratuits. Les plus lucides savent bien que dans les dévouements les plus sublimes on y trouve son compte, ne serait-ce que par l'image que l'on se donne de soi-même. Les plus honnêtes n'ignorent pas qu'en rendant service sans rien attendre en retour, ils apprécient tout de même qu'à l'occasion on leur renvoie l'ascenseur. Les plus saints de ceux qui se mortifient n'ont pas conscience qu'ils jouissent de leur renoncement par la satisfaction secrète qu'ils tirent à leur insu de n'être point comme le reste de la pauvre humanité. Cet intérêt d'ailleurs n'enlève rien à l'authenticité de leur générosité. De même, l'intérêt que l'on escompte d'un bénévolat gratifiant pour soi-même n'enlève rien à la valeur du service que l'on rend.

S'il est légitime de rechercher son intérêt, il est en même temps requis de considérer la gratuité comme un régulateur. Elle opère les réajustements qu'il convient. Elle se traduit par le détachement qui s'impose pour ne pas devenir âpre au gain, un avare sans le savoir. N'allons pas croire que l'avare se réduise à cet Harpagon, psychopathe mis en scène par Molière. Bien des gens « intéressés » peuvent être des pingres qui s'ignorent, mesquins

153

dans la sourde cupidité qui les ronge. Comment éviter cet écueil? Cultiver les valeurs de solidarité et générosité; s'entraîner au détachement qui fait progresser la liberté intérieure, sans laquelle la gratuité ne peut se développer. Qu'en dit Dieu?

LA RÉVÉLATION CHRÉTIENNE

Le Christ, connaissant de quoi est fait le cœur de l'homme, utilise le mobile de la récompense, dans sa prédication du Royaume : « Réjouissez-vous. Soyez dans l'allégresse, votre récompense sera grande dans les Cieux. » Traduisez : Vous avez tout intérêt à m'être fidèles, dit Dieu, sinon c'est la géhenne! Autre écho : ne cherchez pas à être récompensés par les hommes. Vous avez intérêt à l'être plutôt par Dieu dans le Royaume des Cieux.

> « Gardez-vous de pratiquer votre religion devant les hommes pour attirer leurs regards; sinon pas de récompense pour vous auprès de votre Père qui est aux Cieux. Quand tu fais l'aumône, ne le fais pas claironner devant toi comme les hypocrites dans les synagogues et dans les rues, en vue de la gloire qui vient des hommes. En vérité, je vous le déclare : ils ont reçu leur récompense. Pour toi, quand tu fais l'aumône, que ta main gauche ignore ce que fait ta main droite, afin que ton aumône reste dans le secret; et ton Père, qui voit dans le secret, te le rendra. De même pour la prière! »

Mt 6, 1-8

La parabole des talents valorise l'intérêt que l'on a à faire fructifier les dons reçus. Ce qui ne profite pas, comme

154

le figuier stérile condamné par Jésus, n'a plus d'intérêt : il est bon à être jeté au feu.

Équivalemment, dans l'Église catholique, la notion de mérite qui a si longtemps prévalu va bien dans le sens de ce mobile de l'intérêt. « Chrétien, tu as intérêt à être fidèle aux commandements, sinon gare à ton Éternité! » Toutefois, la notion de contrition « imparfaite » fondée sur l'intérêt que l'on a à être trouvé fidèle à Dieu, enseignée jadis dans les traités de morale, était considérée seulement comme le marchepied de la contrition parfaite fondée, elle, sur le pur amour gratuit de Dieu. Dieu pour Dieu et non plus pour les récompenses qu'il accorde! Cette gratuité idéale se concrétise alors par les nombreuses invitations que lance l'Évangile : « A qui te demande... donne! » (Mt 5, 42); « Pardonnez à l'infini! » (Mt 18, 21) Autrement dit : Donnez l'Amour à l'infini sans tenir compte du mal qui vous a été fait!; Soyez miséricordieux comme votre Père des Cieux!; remettez vos dettes comme le demande la parabole du débiteur impitoyable (Mt 18, 23-35)!

Dans la même ligne, cette autre parabole intitulée « Les ouvriers de la onzième heure » (Mt 20, 1-16) met en lumière la souveraine liberté de Dieu qui éclate à travers cette provocation : « Les premiers seront les derniers. » Sans faire tort aux travailleurs qui ont supporté le poids du jour, il rémunère les ouvriers embauchés sur le tard selon le même salaire. Libre à Dieu de faire ce qu'il veut! C'est dire que la gratuité suppose un dépassement volontaire de ce qui est un dû, une autre problématique que celle du droit strict. C'est ce que va mettre en lumière « l'économie du Salut ».

Ce mot « économie » est beau. Très humain. Il recouvre une réalité beaucoup plus large que le domaine restreint des affaires de ce siècle. Il évoque autre chose que l'argent, le profit, l'intérêt. Venant du grec *oikos* et *nomos,* il évoque l'ensemble des lois qui président à l'art de bien administrer sa maison. En théologie, l'expression « économie du Salut » désigne la façon dont Dieu s'y est pris pour nous établir en sa demeure, « nous rétablir en son Alliance », bref gérer cette grande affaire spirituelle qu'est le Salut du monde.

« Économie du Salut ! » L'expression peut prêter à confusion, car le mot « économies » (au pluriel) connote une certaine parcimonie. On dira de quelqu'un qui fait des économies : « Il est regardant ! » Or, Dieu, pour nous sauver, n'a pas fait l'économie de son Fils unique. Il a tellement aimé le monde qu'il l'a envoyé sur notre terre pour nous libérer de nos chaînes. Vous savez bien que Jésus Christ n'a pas été chiche de son amour. Il n'a pas compté sur nos mérites, ni sur nos remerciements. Il n'a pas épargné sa peine durant sa Passion. Il s'est engagé au plus profond de notre humanité en ce qu'elle a de plus crucial. Il fallait cette gratuité de l'amour qui passe par le sacrifice pour que, d'un tombeau vide, surgisse, dans l'éclat du matin de Pâques, la vie.

En dernière analyse, la quintessence de la gratuité est à chercher dans cet amour tel qu'il est vécu en Dieu-Trinité. Admirable échange où le Père, le Fils et l'Esprit se donnent, se reçoivent, se redonnent l'un à l'autre. Chacune des trois personnes divines aime l'autre d'un amour de reconnaissance. Chaque personne au cœur de cet échange se sait parfaitement connue, reconnue, aimée pour elle-même en retour. Ce n'est pas un hasard si le mot de reconnaissance a comme synonyme : la gratitude. Et rien d'étonnant si l'ingratitude que l'on récolte parfois est ressentie douloureusement, mettant à mal la sérénité. Que faire d'autre sinon essayer de dépasser l'indifférence qui nous est manifestée en puisant dans la satisfaction intérieure de l'acte gratuit la force d'aimer quand même et malgré tout, sans rancœur ni rancune. Qui peut y arriver?

Je ne connais pas de plus belle prière pour demander la gratuité que celle attribuée à saint Ignace de Loyola. Le scoutisme, école de gratuité s'il en est, en a fait son hymne :

> « Seigneur Jésus
> Apprenez-nous
> à être généreux
> à vous servir comme vous le méritez
> à donner sans compter
> à combattre sans souci des blessures
> à travailler sans chercher le repos
> à nous dépenser, sans attendre
> d'autre récompense que celle de savoir
> que nous faisons votre sainte volonté. »

Comment parvenir à cette aptitude au détachement sans un minimum d'éducation? La gratuité s'éduque dès l'âge de l'enfance par la pédagogie des activités ludiques, mais aussi l'apprentissage des petits services à rendre, des cadeaux à faire... pour faire plaisir. Tout au long de la vie adulte, la gratuité se cultive par les formes les plus variées du don de soi, mais aussi la recherche en toute

157

chose de la beauté, valeur essentielle de ce qui mérite d'être appelé : culture...

II. La culture

L'HOMME EST À LUI-MÊME... UN CENTRE CULTUREL!

La culture dévoile le sens de ce qu'est l'homme : un être perpétuellement en progrès, tendu vers la perfection, l'infini des connaissances, l'infini de ce qu'il est lui-même. Cette dimension anthropologique, anthropocentrique, me fait dire : L'homme est à lui-même un centre culturel... C'est ce que mettent en lumière deux instances « expertes en humanité » : l'UNESCO et l'Église catholique, dans son document du concile Vatican II : *Gaudium et spes*. Ces deux définitions illustrent bien à la fois la mondialisation et la modernité de la culture, mais surtout dévoilent sans le dire ce qui fait l'objet de notre recherche : les composantes de la sérénité.

> « Dans son sens le plus large, la culture peut aujourd'hui être considérée comme l'ensemble des traits distinctifs, spirituels et matériels, intellectuels et affectifs, qui caractérisent une société ou un groupe social. Elle englobe, outre les arts et les lettres, les modes de vie, les droits fondamentaux de l'être humain, les systèmes de valeurs, les traditions et les croyances. La culture donne à l'homme la capacité de réflexion sur lui-même. C'est elle qui fait de nous des êtres spécifiquement humains, rationnels, critiques et éthiquement engagés. C'est par elle que nous discernons des valeurs et effectuons des choix. C'est par elle que l'homme s'exprime, prend cons-

cience de lui-même, se reconnaît comme un projet ina-
chevé, remet en question ses propres réalisations, recherche
inlassablement de nouvelles significations et crée des œuvres
qui le transcendent [1]. »

« Au sens large, le mot culture désigne tout ce par
quoi l'homme affirme et développe les multiples capacités
de son esprit et de son corps; s'efforce de soumettre
l'univers par la connaissance et le travail; humanise la
vie sociale, aussi bien la vie familiale que l'ensemble de
la vie civile, grâce au progrès des mœurs et des institutions; traduit, communique et conserve enfin dans ses
œuvres, au cours des temps, les grandes expériences spi-
rituelles et les aspirations majeures de l'homme, afin
qu'elles servent au progrès d'un grand nombre et même
de tout le genre humain. Il en résulte que la culture
humaine comporte nécessairement un aspect historique et
social et que le mot culture prend souvent un sens
sociologique et même ethnologique [2]... »

Ces deux documents dessinent bien le portrait de
l'homme de la sérénité : l'homme serein est l'homme
intégral, intégré à son temps, l'homme total, présent au
monde, maître de lui dans la mesure où il maîtrise
l'univers dont il fait partie, en un mot l'homme cultivé.
La culture! Les cultures! Qu'il soit au singulier ou au
pluriel, ce mot brillant fuse comme un feu de bengale
aux mille éclats tant il évoque une pléiade de richesses
humaines dans la galaxie de tous les arts possibles et
imaginables. Quelle chance de pouvoir vivre à une époque
aussi éclectique, éprise de patrimoine mais également de

1. Conférence internationale de l'UNESCO à Mexico, 1982.
2. Concile Vatican II, *Gaudium et spes,* n° 53.

nature, de sports, de sciences, de techniques en tous genres, permettant à un nombre toujours plus grand d'accéder à une culture multiforme! La culture n'est plus l'apanage de gens privilégiés qui, ayant fait des études ou ayant des loisirs, ont la chance de pouvoir s'intéresser gratuitement aux arts et belles-lettres. La culture est sortie d'un domaine réservé où elle s'était calfeutrée. Elle englobe toute l'activité humaine, ne laissant pas dans l'ombre des domaines qui seraient jugés moins dignes d'elle. L'informatique, par exemple, fait partie de la culture moderne.

Autant je me réjouis de ces richesses multiples et variées offertes à tous pour un « plus-être », autant je m'interroge sur l'ambiguïté que représente une culture de consommation. On ingurgite à haute dose du musée, des expositions, des festivals, du sport en tribunes, de la musique en compact, du cinéma à la télévision. Et sans compter! Que signifie cette culture massive? Culture de masse? Quel homme, à l'aube du XXIᵉ siècle, sommes-nous en train de mettre au monde? Tenter de répondre à cette interrogation demande que l'on débusque ruses et trucages qui peuvent se cacher derrière les buts nobles que se propose d'atteindre la culture. « Vêtue de probité candide », elle est en fait traitée comme un produit à exploiter par les véhicules qui lui assurent le meilleur profit, singulièrement l'industrie du tourisme et indirectement la religion par son potentiel d'art sacré.

RUSES ET AMBIVALENCES DE LA CULTURE

• *Au plan économique :* on pourrait penser que le culturel est le champ rêvé de la gratuité. L'art pour l'art! En

160

fait, tout ce qui a trait à la culture est devenu aujourd'hui un atout important dans la compétition des mégapoles qui prétendent avoir la suprématie dans le monde. Ce n'est plus seulement la productivité industrielle qui assure à la ville son essor, mais l'aura culturelle dont elle brille et que le tourisme d'affaires et de loisir sait exploiter. Rien de honteux à cela : le tourisme, c'est un métier qui mérite salaire. Rien à redire dans la mesure où il est exercé honnêtement, et à condition de ne pas être dupe soi-même des motivations et des ruses des promoteurs de la culture.

• *Au plan politique :* que le brassage des peuples auquel on assiste de nos jours en de nombreux pays donne lieu à un métissage culturel qui soit pour les uns et les autres sources d'enrichissement, on ne peut que s'en réjouir. A condition de ne pas confondre échanges avec mélanges, c'est-à-dire à condition de ne pas occulter la difficulté d'être confrontés à des civilisations radicalement hétérogènes au pays d'accueil. Sans oublier le choc culturel que peuvent ressentir des mentalités non évolutives face à la modernité. Si l'on ne prend réellement pas en compte, au plan politique, les problèmes d'intégration et d'intégrisme qui se posent concrètement, ne risque-t-on pas — dans un avenir plus ou moins proche — de provoquer la violence au lieu de favoriser, comme on l'avait voulu, le brassage de cultures différentes dont on souhaite qu'elles puissent cohabiter de manière heureuse dans la sérénité, dans le respect de la différence des uns qui ne soit pas au détriment de la différence des autres.

• *Au plan esthétique :* Dubuffet parle de « police de charme » pour dénoncer la façon dont subrepticement des lobbies de snobs imposent leurs évidences et font la loi en matière de goût. Quels repères pour juger la valeur

161

d'une œuvre? Plutôt que de me perdre en propos théoriques, je vous invite à me suivre au musée d'art moderne du centre Pompidou ou dans l'une des galeries du nouveau Paris branché à la Bastille. J'accompagne un groupe. On passe devant des mobiles en fer rouillé, avec des planches déchiquetées plantées de vieux clous. On s'arrête devant des toiles de peinture que d'aucuns regardent en jetant un coup d'œil comme on jette un kleenex... « A quoi ça ressemble! Ça ne veut rien dire! On se fiche de nous! Facile de planter trois clous et faire de la barbouille! Horrible! » Voilà, tout est dit! Ou presque... Vite dit! Ne méprisons pas ce genre de réactions. Elles peuvent paraître venir de Béotiens. (Après tout, la Béotie n'est-elle pas province de la Grèce, mère de notre culture occidentale?) Je ne prends pas parti sur ces jugements de valeur. Je préfère m'interroger : que révèlent ces propos, sinon une quête du sens? C'est éminemment humain que de s'attendre à ce que « les choses » correspondent à « quelque chose ». Et quelque chose de valable, qui s'apprécie non seulement par la beauté de l'œuvre, mais par le travail qu'elle a exigé, considéré comme label de « sérieux ». Quoi qu'il en soit, cela nous invite à nous faire découvrir que ce « quelque chose » recherché dans l'art, c'est peut-être « autre chose » que ce à quoi l'on pourrait s'attendre, « autre chose » que ce qui correspond à notre goût. Inévitablement, le goût est d'ordre subjectif, tributaire de nos structures mentales conditionnées par le milieu social et les modes. L'homme cultivé est celui qui sait avec modestie reconnaître qu'il n'arrive pas à se rendre compte à lui-même, de manière totalement rationnelle, de ce qu'il ressent. La finalité de l'œuvre d'art échappe à la faculté de conceptualiser clairement ce qui relève de la subjectivité, de la sensibilité;

162

certes, le jugement de l'homme cultivé doit s'enraciner dans une sensibilité nourrie par un certain savoir qui lui donne des éléments de discernement. Non pas un savoir d'érudit enfermé dans sa seule spécialité ou de pédant cherchant à briller pour se faire valoir socialement. Non pas un savoir rhapsodique fait d'éléments épars, où prévaut l'anecdotique, savoir de dictionnaire qui permet de répondre à des questions pour champions de jeux télévisés!

L'homme cultivé est celui qui parvient à intégrer dans l'unité de sa personnalité ce qui lui permet de devenir pleinement lui-même. Il sait transposer dans sa vie la beauté de la création et les chefs-d'œuvre qu'il admire. Il tente de faire de sa vie une œuvre d'art. Dans cette vision de la culture conçue comme un art de vivre, j'aimerais dégager quelques critères qui ne se limitent pas à la seule esthétique, mais permettent dans ce vaste champ éclectique de la morale, de la politique, des sciences, des techniques, etc. de discerner ce qui relève d'une culture authentique, essentielle pour vivre le plus sereinement possible.

• *Au plan existentiel* : Tout ce qui humanise l'homme, faisant de lui un être complet, capable d'intégrer dans l'unité de sa personnalité la beauté du monde...

— Tout ce qui stimule la conversion du regard, permettant de renouveler sa vision du monde, d'accueillir l'autre dans sa différence et de devenir ainsi soi-même un Homme Nouveau.

— Tout ce qui exalte la joie de vivre, la sérénité, dans une convivialité heureuse, ouverte aux valeurs de partage, rencontre et découverte...

— Tout ce qui développe la créativité, l'aptitude à l'émerveillement dans la contemplation du Beau, du Vrai, du Bien...

163

– Tout ce qui rend l'homme autonome, libre d'aimer et d'apprécier ce qui lui plaît sans être à la remorque des modes qui passent et des groupes de pression qui imposent leurs lubies...

– Tout ce qui, par la sauvegarde du patrimoine du passé et la confiance en la modernité, donne la dimension du temps et de l'éternité...

– Tout ce qui élève l'homme dans le sens de sa vie et de sa mort, de sa destination ultime...

Tout cela constitue un ensemble de repères dans notre monde où tant de gens déstabilisés ressentent la précarité des choses, le dérisoire, l'absurde d'une existence où domine l'ennui; il semblerait que notre époque est d'autant plus friande de culturel qu'elle souffre d'une carence chronique de spirituel. André Malraux, à cet égard, témoin significatif des aspirations de notre siècle, disait dans un discours, en 1966 :

> « Le problème que notre civilisation nous pose n'est pas du tout celui de l'amusement; c'est que jusqu'alors, la signification de la vie était donnée par les grandes religions, alors qu'aujourd'hui il n'y a plus de signification de l'homme et il n'y a plus de signification du monde, et si le mot culturel a un sens, il est ce qui répond au visage de mort. La culture, c'est ce qui répond à l'homme quand il se demande ce qu'il fait sur terre [1]. »

Effectivement, aujourd'hui la culture peut apparaître comme un alibi de notre société de nantis pour échapper au vide qui lui donne le vertige. Vide compensé par le trop-plein d'une civilisation gâtée qui ne sait plus – gavée

---

1. Cité dans la revue *Esprit*, novembre 1980.

qu'elle est — de quoi se repaître, sinon fuir « ce monde insupportable » dont parle le héros dans *Caligula* de Camus : « J'ai besoin de bonheur, ou de la lune, ou de l'immortalité, de quelque chose qui soit dément peut-être, mais qui ne soit pas de ce monde. » Qui va répondre à ce besoin d'évasion? Le « club Méditerranée »? « Nouvelles Frontières », toujours en quête de nouvelles destinations? D'aucuns interprètent cette fuite en avant comme l'expression d'un besoin de spirituel. Dans certains cas, sans doute, mais ne récupérons pas trop vite...

Que recherchent par exemple ceux qui fréquentent les concerts de musique sacrée dans les églises? Beaucoup attendent davantage une satisfaction esthétique que la foi en un Dieu de vie. On voit des amateurs d'art religieux savourer en esthètes une pièce de chant grégorien et d'autres se laisser envoûter par le langage d'une cathédrale, sans que celle-ci puisse leur parler de Dieu. Ainsi, il semblerait que le culturel exerce une fonction de transfuge, de substitution par rapport au spirituel. Il faut bien avouer qu'entre ces deux concepts : culturel et spirituel, règne un flou artistique. De quoi parlons-nous?

• *Culturel!* Ce mot, quoique vague, évoque bien cependant l'apport que représentent les richesses des civilisations : les arts et les sciences, la littérature et l'histoire, la technique et les métiers avec ce qu'implique la notion de progrès. Bref, le culturel est propre à l'intelligence humaine en ce sens qu'il permet de faire des liens entre tous ces domaines évoqués. Ainsi, il permet d'avoir une hauteur de vue et d'accommoder, de renouveler son regard sur le monde et les gens. Expression de la dignité humaine, le culturel valorise l'homme, l'édifie, l'honore, l'éveille au sens de ce qui est mortel, au sens de sa destinée, de sa destination finale...

• *Spirituel :* On emploie ce mot aussi bien pour désigner quelqu'un qui a une conversation brillante que pour évoquer la vie intérieure des personnes. Retenons l'essentiel : ce qui est spirituel est propre à la nature humaine : l'homme, « animal raisonnable », doué d'un esprit capable de donner sens à sa vie. D'une manière spécifique, pour le chrétien, le terme spirituel traduit le mystère que saint Paul révèle dans l'épître aux Romains : « L'Esprit de Dieu se joint à l'esprit humain : il habite en nos cœurs. »

Pour en finir avec ce binôme culturel-spirituel, l'affirmation prêtée à Malraux, trop rabâchée et récupérée avec simplisme : « Le XXIe siècle sera religieux ou ne sera pas », me donne à penser que ce troisième millénaire sera marqué par un vaste syncrétisme culturel des grandes religions de l'Histoire. En attendant l'avènement de ce nouvel âge, on fait des gorges chaudes sur le retour du religieux, où se confondent religiosité, crédulité, superstition, peur d'affronter la modernité. Ce qui explique ce besoin de se raccrocher au passé : hantise des origines, des racines, engouement pour les vieilles pierres. Mais la sauvegarde du patrimoine n'est pas à confondre avec une brocante de l'Histoire, le ramassis de choses anciennes donnant lieu à un véritable fétichisme de l'objet en tant que tel. Loin de moi — c'est trop clair — de mésestimer et brader l'héritage que nous ont laissé nos parents... Je veux simplement souligner la fonction de sublimation du passé qu'exerce la culture, tendant de plus en plus à devenir un culte du patrimoine. Cela simplement parce que ce qui disparaît engendre chez l'homme la peur métaphysique de disparaître lui-même; cela encore plus simplement parce que c'est plus facile de conserver que de créer, plus facile de se référer à des critères de beauté inculqués par la force de l'habitude que d'inventer d'autres canons de l'esthétique.

L'HOMME CULTIVÉ, UN HOMME BIEN ÉLEVÉ

La culture a quelque chose à la fois de laborieux et de joyeux, de festif et de ludique.

• *Laborieux :* elle exige une initiation, un apprentissage, un travail en fonction de la profession exercée. Travail aussi en fonction de ses hobbies et loisirs. Peindre ou jouer du piano pour son plaisir, dans tous les cas, la culture implique entraînement, effort, opiniâtreté.

• *Ludique :* la culture correspond dans la vie de l'adulte à ce qu'est le jeu dans le développement de la personnalité de l'enfant. Je ne sépare pas culture physique et culture de type intellectuel. La gymnastique, pour Aristote, n'était pas moins digne que la philosophie. L'aspect ludique de la culture donne la possibilité de s'exprimer par tout l'être, qui éclate dans la gratitude d'exister corps, âme, esprit.

Je conçois la culture comme une fête de l'esprit. Une fête de l'âme. Une fête du corps. Une fête que l'on célèbre soi-même et non pas que l'on regarde comme tant de fêtes aujourd'hui, simples spectacles où l'on demeure passif. Une fête qui fasse éclater l'allégresse. Une réjouissance de tout l'être. A chacun d'être son ministre de la culture, de sa culture. A chacun d'être le cultivateur de soi-même, de ses dons et talents. « Cultive ton jardin », disait candidement Voltaire. Oui, quelle image plus belle et plus pertinente que celle du jardin? Il faut bêcher, semer, arroser, biner et sarcler, encore arroser, pour récolter

167

la joie de la culture, engranger en soi « les fruits de la terre et du travail des hommes ».

> « Remuez votre champ
> Creusez, fouillez, bêchez...
> Un trésor est caché dedans... »

dit le laboureur à ses enfants. Fable de La Fontaine, mais aussi parabole des talents de l'Évangile : faites-les fructifier! L'homme cultivé est toujours en pleine croissance. Il n'a jamais fini de grandir, toujours en marche pour devenir finalement l'homme « à taille adulte » dont parle saint Paul. L'homme cultivé? Un homme « bien élevé ». Un homme que la beauté élève. En somme, l'homme de la sérénité.

LE CULTE DE LA BEAUTÉ

Un certain été en Haute-Provence, contemplant l'harmonie du plateau de Valensole où rose et mauve s'entrelaçaient dans les nuances subtiles des bougainvillées, lavandes et lauriers, je me disais : à quoi sert cette ineffable impression de splendeur? A rien, sinon à nous enchanter de ce qui nous est donné sans raison : la beauté. « Elle ne se discute pas, elle règne! » disait Oscar Wilde. La beauté ne sert à rien d'autre qu'à être elle-même. Totale gratuité. Du point de vue esthétique, le sentiment inné de la beauté nous est donné par le spectacle de la nature. Sentiment tellement naturel que, devant la magnificence d'un paysage, nos balbutiements reviennent à ce genre d'exclamation : « Que c'est beau! » Michel-Ange le disait à sa manière : « Mes yeux avides de beauté et mon âme n'ont d'autre pouvoir pour monter au ciel que la contemplation des belles formes. » En quoi consiste la culture, sinon à « mettre en forme » la contemplation de ces « belles formes », à recréer humainement ce qui nous est prodigué divinement? Recréation, la culture humanise le beau sous toutes ses formes du point de vue esthétique, mais aussi éthique. En somme, elle humanise l'homme en toutes ses facultés, l'homme total en relation au monde. L'homme en beauté!

La beauté des formes est inséparable de celle du fond. L'homme cultivé est celui qui perçoit toutes choses avec ce fond de l'œil qu'est l'âme. Il découvre alors une transcendance insurpassable. En ce sens, Paul Valéry lance cette boutade : « La définition du beau est facile : il est ce qui désespère. » Et pourquoi est-il ce qui désespère? Est-ce parce que l'on ne parvient pas à le définir? Sans doute, la beauté, on ne peut l'enfermer dans une définition, précisément parce que le beau nous transporte aux rives d'un au-delà inaccessible sur terre : l'absolu, l'infini, l'éternel. La beauté dans les sables de la conscience est l'empreinte du désir de parvenir à ce qui nous dépasse. Cette tension vers l'éternité, on la ressent parfois avec plus d'acuité dans la conscience de l'éphémère. Il y a quelque chose de « périssable » dans la contemplation d'un paysage ou, par exemple, dans l'audition d'un concert, la représentation d'un opéra : le sentiment que ce moment unique ne reviendra jamais.

Je me souviens de ce lever de soleil au Sinaï. J'étais habité, je devrais dire hanté, par ce sentiment de fugacité. Nous venions d'atteindre le sommet — accompagnés par un berger — après une marche de nuit dans les étoiles et les cailloux. Le groupe se préparait en silence à capter cet instant blême où l'aurore se lève. Longue attente recueillie jusqu'au moment où apparurent, sur un fond de ciel en camaïeu, les violets durs et les verts bronze. Alors les orange et tous les ors jusqu'à la pâleur d'un jaune renoncule se mêlèrent progressivement aux mauves lavande jusqu'à devenir roses. Cette procession se perdit dans les strates des rares nuages oblongs pour laisser l'astre se dresser à l'horizon.

J'étais là, perdu dans le ciel, en train de me dire ces choses naïves : « Mon vieux, tu ne reverras jamais ce lever de soleil. Tu pourras revenir. Le soleil se lèvera. Les couleurs seront semblables, mais cette composition unique, ce que tu as vécu en ce matin, c'est fini! »

La beauté, on ne peut se l'approprier. Le parfum de la rose exprime bien pour moi ce caractère imprenable de toute beauté. Sans doute est-ce pour cette raison que poètes de tous les temps, musiciens, architectes, artistes du monde entier se sont faits chacun à leur manière chantres de la rose.

HOMMAGE A LA ROSE...

« Mignonne allons voir si la rose... », disait Pierre Ronsard à sa bien-aimée. Oui, allons voir si la rose veut bien nous livrer les secrets de la gratuité. Écoutons les mystiques. Angelus Silesius, poète du XVIIe siècle, natif de Wroclaw (Breslau), en Silésie, nous a laissé ces paroles admirables :

> « La rose est sans pourquoi
> Elle fleurit parce qu'elle fleurit
> Elle ne se soucie pas d'elle-même
> Elle ne cherche pas à savoir si on la voit! »

La rose est sans pourquoi. Peut-on mieux suggérer ce qu'est en son fond la gratuité? Pas d'explication à donner. Aucune justification à fournir, ce qui ne veut pas dire que la gratuité soit sans raison, en dehors des normes de la raison. La rose fleurit parce qu'elle fleurit. C'est dire qu'elle a sa finalité en elle-même par rapport à la nature. Elle ne cherche pas à être remarquée. Et pourtant les abeilles la trouvent, la butinent. Elles tirent d'elle ce qui sera le miel.

Paul Claudel, dans sa *Cantate à trois voix,* nous fait comprendre que la gratuité est à la sérénité ce que le parfum est à la rose. La rose est seulement la rose. Voilà qui suffit pour être belle. Seulement belle dans l'effeuillement du temps qui passe. Il imagine un dialogue entre Laeta et Beata. Deux prénoms qui signifient « Joyeuse » et « Bienheureuse », deux prénoms possibles pour la sérénité. Ce lyrisme, il est vrai, peut paraître d'une préciosité surannée, voire d'un maniérisme snob. Essayons de pénétrer dans l'imaginaire du poète.

LAETA
Dis, seulement, la rose.

BEATA
Quelle rose?

LAETA
... Du monde entier en cette fleur suprême éclose!

BEATA
Je dirai, puisque tu le veux,
La rose. Qu'est-ce que la rose? Ô rose!
Eh quoi! Lorsque nous respirons cette odeur
    qui fait vivre les dieux,
N'arriverons-nous qu'à ce petit cœur insubsistant

171

Qui, dès qu'on le saisit entre ses doigts, s'effeuille et fond,
Comme d'une chair sur elle-même toute en son propre baiser
Mille fois resserrée et repliée?
Ah, je vous le dis, ce n'est point la rose! C'est son odeur
Une seconde respirée qui est éternelle!
Non le parfum de la rose! C'est celui de toute la Chose
que Dieu a faite en son été!

Parfum! Claudel parle d'abord d'odeur. Il n'a pas peur de ce mot charnel. Chaque corps humain a son odeur spécifique, comme chaque rose en son espèce particulière. Pourquoi cette odeur et pas telle autre? Tout simplement parce que chacun, chacune est unique. Et ce que chacun, chacune a de singulier est donné gratuitement, dans une mystérieuse alchimie, selon sa destinée, sa vocation.

En la circonstance, pourquoi ne pas faire mémoire de la Vierge Marie que l'on honore dans ses litanies sous le vocable de « Rose mystique »! La rose! Un thème sculptural prédominant à Notre-Dame de Paris, à tel point que l'on pourrait appeler cette cathédrale Notre-Dame des roses. Bien sûr, il y a d'abord les trois rosaces principales, parmi les très belles de notre patrimoine gothique en matière de vitrail. Mais pour qui sait regarder, les murs intérieurs et extérieurs de l'église sont également décorés d'une multitude de roses de toutes espèces, véritable roseraie de pierres. Notre-Dame de Paris peut être prise comme « la Dame du Rosaire ». C'est en effet dans cette cathédrale que saint Dominique, au XIIIe siècle, créa la prière du « Je vous salue » et inaugura ce que l'on appellera plus tard la méditation des mystères du rosaire, en l'honneur de la Vierge. « Pleine de grâces », n'incarne-t-elle pas la plénitude de la gratuité, dans ce don qu'elle fit de sa personne à Celui qui devint le Sauveur sur terre! Cela sans savoir ce qu'elle-même deviendrait! Gratuité dans la sérénité que révèle sa foi silencieuse. Sans la gratuité, comment entrer en relation avec un Dieu qui nous aime sans raison? Comment vivre dans la foi, au-delà de la raison?

III. La foi

LA FOI AU-DELÀ DE LA RAISON

Croire en Dieu, à mes yeux, est ce qui dans la vie d'un homme exige l'acte le plus gratuit qui soit. Pourquoi? Le croyant — tout au moins celui dont la foi n'est pas qu'un ornement —, s'il veut être cohérent avec lui-même, mise toute sa vie sur Dieu. Or, il n'a pas « vraiment » la preuve de son existence. Pas « vraiment », qu'est-ce à dire? Et saint Anselme? Et saint Thomas d'Aquin? Et Descartes? Et Malebranche? Ces théologiens, ces philosophes prestigieux, n'ont-ils pas prouvé l'existence de Dieu? Pas de manière absolument irréfutable. Tout au plus — et c'est déjà pas mal — ont-ils apporté des arguments suprêmement intelligents pour soutenir — c'est le moment de le dire — la « thèse » de l'existence de Dieu. Thèse insoutenable pour bon nombre d'agnostiques qui la considèrent au mieux comme une hypothèse fragile! Ces soi-disant preuves, ils les jugent récusables sur le plan intellectuel, non convaincantes sur le plan existentiel. Pourquoi? Elles n'ont pas de prise sur le réel, ne résistent pas à la force du concret, qui ne se contente pas de pétitions de principe. Elles ne rendent pas Dieu crédible dans les faits, d'autant que les signes qui pourraient éventuellement se manifester sont brouillés sinon contredits, comme nous l'avons déjà signalé, par l'inévidence de sa bonté dans un monde où la souffrance mène un train d'enfer. En un mot, des preuves formelles, loin de nos préoccupations, qui ne répondent pas à nos interrogations.

Comment vivre la foi dans la sérénité quand la raison, dit saint Thomas d'Aquin, « défaille »? Pascal répond : « La dernière démarche de la raison est de reconnaître qu'il y a une infinité de choses qui la surpassent » (Pensée 267).

Cette dernière démarche de la raison est suivie du premier pas de la foi : accueillir le don gratuit que Dieu nous fait de pouvoir entrer en relation avec Lui, participer à sa vie paternelle, filiale et spirituelle.

Les chrétiens s'extasient facilement devant ce « don gratuit de Dieu ». Personnellement, je trouve l'homme tout autant admirable de faire ce pas qui consiste pour lui aussi à entrer gratuitement dans le jeu de la foi qui repose sur l'invérifiable.

LA FOI, UN ACTE GRATUIT

Donc, partons de cette pétition de principe : la foi, nul ne se l'arroge. Admettons que ce soit Dieu qui la donne. Si elle est un don prodigué à tout le monde, comme l'affirment les théologiens, comment se fait-il que tant d'hommes de bonne volonté, ouverts et généreux, avouent qu'ils ne peuvent pas croire, sans trop savoir pourquoi, comme s'ils étaient retenus par une résistance mystérieuse, incontrôlable. Pourquoi leurs yeux – comme

174

ceux des pèlerins d'Emmaüs — sont-ils empêchés de voir?
Endurcissement du cœur? Indifférence? Ignorance?

Je me garderai bien de porter un jugement d'ordre
moral. Cette résistance à la foi ne se situe pas, comme
on pourrait le penser, au niveau d'objections intellectuelles
que l'on peut toujours discuter, sinon résoudre. Le blocage
de la foi tient au fait que l'homme n'est pas prêt spontanément à se livrer à Dieu sur des affirmations purement
gratuites. Or, la gratuité est constitutive de l'acte de foi.
L'homme croit parce qu'il le veut bien : il prend le risque
d'un Dieu non visible, muet, qui ne gratifie pas sa
sensibilité. L'homme consent à entrer parce qu'il le veut
bien dans un mystère dont il ne peut mesurer ni la
profondeur, ni la hauteur, ni la longueur, ni la largeur,
proclame saint Paul. Et encore : L'homme parce qu'il le
veut bien accueille la Parole de Dieu censée le révéler.
Parole *a priori* qui ne va pas de soi...

• *C'est vraiment gratuit,* avouez, d'accorder ce crédit
à un Dieu censé avoir parlé il y a des milliers d'années
par l'entremise d'auteurs dits inspirés. Une Parole qui
nous vient de la nuit des temps, prise dans la gangue de
l'Histoire, sujette à des interprétations diverses qui divisent
les exégètes. Il s'agit donc de croire sur parole, en l'acceptant comme postulat indiscutable sur lequel se fondent
les dogmes de la foi chrétienne à recevoir en pure gratuité.
Cela ne veut pas dire adhésion aveugle à des vérités. On
peut montrer, sinon démontrer, que la foi tient debout.
Son ensemble dogmatique est d'une cohérence sans faille
dans la continuité de ce qui aboutit à un corps de doctrine
en béton. Tout un travail s'impose afin de ne pas se
laisser enfermer dans un système clos de pensée qui, au
nom de la Révélation, ferait de nous les otages d'un Dieu

175

qui se veut liberté. Mais quel chrétien se demande vraiment comment fonctionne le dogme? Regardez!

Dieu, par amour, nous fait la grâce de naître dans sa Création superbe et bonne, *mais* nous réserve la mauvaise surprise d'une nature blessée par le péché, productrice de malheur dans le monde entier. On n'a pas demandé à naître dans de telles conditions.

Qu'est-ce que l'homme, créé par amour et condamné dès le premier jour à être forçat du mal? Dieu rachète bien en Jésus-Christ cette nature amochée par le péché, *mais* l'univers restauré demeure estropié : le mal subsiste. Le baptême efface bien la tache originelle, *mais* les conséquences demeurent comme des cicatrices béantes et infectées.

On pourrait passer ainsi en revue la doctrine chrétienne. Notons simplement au passage, à titre d'exemple, les points les plus essentiels qui exigent une gratuité inconditionnelle de l'acte de foi.

• *C'est vraiment gratuit,* avouez, de croire que trois = un. Autrement dit, que notre Dieu soit Trinité, unique en trois personnes égales. Gratuit de croire que le même Jésus soit également homme et Dieu; par son origine divine il savait tout, et par son origine humaine il a eu tout à apprendre, connaissant et ne connaissant pas l'avenir! Avouez que c'est difficile de concevoir comment cela pouvait se passer dans le même cerveau... Gratuit de croire qu'en mangeant le pain de l'eucharistie, le chrétien mange la chair du Christ et que de ce fait se réalise parmi nous la présence réelle de Dieu. Gratuit de croire que l'Église est le signe du corps du Christ, et qu'elle est infaillible quand elle décide de ce qu'il faut croire. La foi, c'est à prendre ou à laisser. En bloc. Faut-il s'étonner que bon nombre d'incroyants la considèrent comme un bastion dont on ne peut sortir? Ce mot de gratuité est compris par eux comme « arbitraire ». Comment faire découvrir la différence entre gratuité et arbitraire, sinon en invitant à faire ce que requiert la foi : l'expérience de la présence de Dieu à rechercher? Expérience qui consiste à se livrer au mystère pour se délivrer des réticences de la raison. Expérience de la rencontre.

LA FOI COMME EXPÉRIENCE DE LA RENCONTRE

Dieu se laisse rejoindre quand nous nous mettons en chemin pour aller à sa rencontre au cœur de ce que l'on peut appeler vraiment « expérience spirituelle ». Rencontre. Expérience. Deux mots qui disent bien ce que représente la foi : un engagement de toute la personne dans sa liberté et volonté, son intelligence et sa sensibilité. Rencontre. Expérience. Deux mots qui ne disent pas grand-chose aux chrétiens qui « ont » la foi comme on a un pardessus. Une foi superficielle, conventionnelle, habituelle, sociologique, culturelle, pour ne pas dire frileuse, et qui donc la considèrent comme un « plus ». La foi n'est pas un supplément d'âme : elle fait corps avec la vie. La foi est un en-dedans de l'être qui prend toute la personne. La foi est passion.

Dieu, on ne le rencontre pas comme on rencontre un copain au coin d'une rue. Rencontrer Dieu! Je conçois que cette expression trop souvent employée à tort et à travers irrite certains. Elle peut donner l'impression que l'on déduit — un peu trop facilement et surtout indûment — son existence de je ne sais quel choc émotionnel. Ainsi, le titre du best-seller d'André Frossard en a fait sourire plus d'un : *Dieu existe, je l'ai rencontré.* Point question

177

de discuter un témoignage, encore moins de mettre en doute l'authenticité de son auteur. Mieux vaut, plutôt que de se bloquer sur un mot, essayer d'élucider ce qu'il recouvre.

On peut dégager plusieurs types de rencontre qui ne sont pas exclusifs l'un de l'autre. Certaines rencontres sont foudroyantes, comme celle de Saül sur le chemin de Damas. En un éclair s'établit une relation prodigieuse avec Dieu, typique du *converti*. D'autres sont beaucoup plus orageuses, donnant lieu à de véritables batailles rangées avec Dieu, tel Jacob avec l'Ange. Rencontre typique de celles du *chrétien « averti »*. Enfin, il y a des rencontres plus banales, au creux de la quotidienneté, typique du *fidèle dans l'Église*.

Rencontre du premier type : le converti

Les conversions spectaculaires ne manquent pas dans l'histoire des croyants. Dieu s'impose à certains de manière fulgurante. Les uns vivaient dans une insouciance totale vis-à-vis de Dieu. Les autres étaient — comme on aime dire aujourd'hui — « en recherche ». La conversion intervient alors au terme d'un long cheminement. Chacun a son propre itinéraire. Il reste finalement un secret. On ne sait jamais très bien comment le travail de la grâce s'effectue. Un Charles de Foucauld, qui menait joyeuse vie, est comme pris en flagrant délit de gâcher son existence. Il se rend à Dieu. Et ce sera un perpétuel rendez-vous de chaque jour et de chaque nuit. Paul Claudel, lui, entre en curieux à Notre-Dame de Paris. La Maîtrise des enfants de la cathédrale chante le *Magnificat*. Le Seigneur fit pour lui des merveilles. Comme le publicain, adossé à ce fameux pilier près de la statue de la Vierge tutélaire de Paris, il est traversé par une lumière qui transfigure sa vie, dont rayonnera le lyrisme de sa poésie. Saint Augustin, lui, confesse :

« J'ai interrogé la terre et elle m'a répondu :
" Ce n'est pas moi ton Dieu "...
J'ai interrogé le ciel, le soleil, la lune, les étoiles :
" Nous ne sommes pas le Dieu que tu cherches ",
m'ont-ils affirmé.
Alors j'ai dit à tous les êtres
que je connais par mes sens :
" Parlez-moi de mon Dieu... "
Et ils m'ont crié de leur voix puissante :
" C'est Lui qui nous a faits. " »

Quel que soit le choc ressenti, tous les convertis sont unanimes à reconnaître qu'ils n'en reviennent pas. C'est irrésistible : leur vie est bouleversée pour toujours. Ils ne sont d'ailleurs pas forcément meilleurs que les autres, mais ils ont une conscience aiguë de la présence de Dieu au cœur de leur vie. Ils ressentent un bonheur sans nom, à moins que ce nom soit précisément celui de sérénité. Les convertis ne viennent pas tous du monde de l'incroyance ou de l'indifférence. Saul de Tarse était croyant. Et quel croyant! Mais il était enfermé dans les principes de la religion. Une sorte d'intégriste avant la lettre! Il avait le sens du religieux, mais il n'avait pas encore fait l'expérience de Dieu qui bouleversa sa vie quand il fut terrassé sur ce chemin de Damas.

Toutes les conversions ne sont pas aussi saisissantes que celles des vedettes de la foi. Dieu nous attend tous au tournant. Une maladie qui survient sans crier gare. Un changement de profession. Un deuil qui frappe le conjoint au moment où le couple pensait prendre une

179

merveilleuse retraite. Bref, ces coups durs qui pourraient provoquer un abattement, une révolte, peuvent aussi devenir l'occasion d'un sursaut de la foi.

Rencontrer Dieu, en l'occurrence, n'est-ce pas se laisser retourner par Lui, retourner à Lui après avoir pris des détours qui nous ramènent à Lui, le vrai Chemin? « Fais-moi revenir, dit le Psaume, et je reviendrai! » Telle est la dynamique de la conversion.

Rencontre du deuxième type : le chrétien averti

Certains convertis marqués par le choc de leur rencontre avec Dieu, et dans la logique de la recherche d'absolu qui les a menés à Lui, vivent un christianisme sans concessions, ouvert aux exigences les plus radicales de l'Évangile. D'autres s'installent assez vite dans une foi satisfaite d'elle-même, bardée de certitudes, qui les rend très sûrs d'eux. Ils ne veulent surtout pas remettre en cause ce qui les amènerait à comprendre que la conversion n'est jamais totalement acquise. Elle est à réaliser au fil des jours. Conversion du cœur qui entraîne, certes, une fois pour toutes l'adhésion à Dieu, mais réentraîne sans cesse à progresser dans cette adhésion. Conversion de l'intelligence également qui, elle, n'a jamais fini d'explorer ce qu'elle croit avoir trouvé.

Puisque tout baptisé est appelé à vivre en converti, comment faire pour ne pas devenir des amortis, mais des chrétiens avertis? Avertis au sens avisé. Converti, averti relèvent de la même racine. Il s'agit de se laisser pétrir de l'intérieur pour acquérir un regard neuf sur la foi. « Chrétien averti! » J'entends par là une personnalité forte, dégagée des préjugés de son entourage, qui prend en main sa destinée de chrétien, en pleine liberté, en pleine gratuité.

Je ne sais plus qui a dit : « La foi commence à partir du moment où l'on n'a plus besoin de Dieu! » Formule provocante. Essayons de comprendre. Bien sûr, nous avons besoin de notre Père des Cieux comme l'enfant sur terre a besoin de son père et de sa mère pour vivre et survivre. Mais cet enfant ne pourra devenir pleinement adulte que le jour où il les quittera. Et que signifie les quitter? Les abandonner? Renier l'amour filial? Point du tout. Les quitter, c'est renoncer à vivre à leur solde pour s'affirmer soi-même, s'assumer soi-même, être un homme. Dieu ne peut pas supporter des créatures qui ne soient pas des hommes. La foi que Dieu désire n'est pas un moyen de nous tenir en laisse, mais de nous laisser être des hommes dans une dépendance vis-à-vis de Lui qui ne soit que celle de l'amour, celle d'une pleine et entière liberté d'homme. Le chrétien averti peut paraître avoir mauvais caractère, sinon mauvais esprit, quand il s'en prend à tout ce qui contribue dans l'Église à le rendre petit garçon vis-à-vis de Dieu. Également, il peut paraître contestataire alors qu'il est attestataire de « la liberté des enfants de Dieu ».

Les figures de convertis ne manquent pas. Celles qui donnent un témoignage de chrétiens avertis sont plus rares. Dietrich Bonhoeffer écrit à propos de l'émancipation des chrétiens :

> « En devenant majeurs, nous sommes amenés à reconnaître dans sa vérité notre situation devant Dieu. Dieu nous fait savoir que nous devons vivre comme des hommes qui arrivent à se tirer de la vie sans Dieu. Le Dieu qui est avec nous est le Dieu qui nous abandonne (Mc 15,

34). Le Dieu qui nous laisse vivre dans le monde est le Dieu devant lequel nous devons continuellement nous tenir. Devant et avec Dieu, vivre sans Dieu. »

Quand on sait quelle fut la vie de ce chrétien admirable, le témoignage de la foi au-delà de toute mesure qu'il a donné pendant la guerre 1939-1945 en résistant à l'hitlérisme, lui qui fut pendu par les SS, on ne peut suspecter ces paroles d'avoir été écrites à la légère.

Le chrétien averti est un homme à *l'esprit critique,* au sens positif du terme. Il tente de construire l'édifice de la foi non pas en distribuant des paroles mielleuses qui se veulent édifiantes alors qu'elles ne sont qu'endormeuses. Il passe au tamis tout ce qui, dans le langage communément déversé, contribue à confiner la foi dans une douce piété, à discerner ce qui relève du courage de croire de la peur de ne pas croire. Discernement qui inévitablement passe par le doute. Non pas le doute délétère, le doute de méfiance *a priori,* mais le doute méthodique, le doute opératoire, le doute qui ouvre à une vérité dont on n'a pas peur de découvrir les exigences. Le doute est alors une marque d'intelligence et de vaillance. Il n'y a que les imbéciles qui ne doutent de rien. Or, précisément parce que Dieu n'est pas rien, le chrétien averti ne redoute pas de mettre en question ce qui peut être éléments de réponse dans sa poursuite de l'invisible.

Le chrétien averti accepte, tel Jacob, d'être celui qui boite entre le visible et l'invisible, d'être celui qui marche dans la nuit, éclaireur de pointe. Douter est fatigant. Tout le monde ne peut pas être un entraîneur.

Rencontre du troisième type : le fidèle dans l'Église

Le peuple de Dieu a toujours été « un petit reste ». Je constate aujourd'hui dans ce « petit reste » une levée de générosité qui, en bien des cas, force l'admiration. Qu'en est-il de ce chrétien communément appelé « fidèle » ? D'une manière générale, il ressemble au soldat dont le centurion, dans l'Évangile, dit : « Je dis à l'un : Va, et il va... » C'est le laïc sérieux, désireux de se former et d'approfondir sa foi. Il suit des cours bibliques, fait partie d'un groupe de spiritualité. C'est aussi le bon paroissien qui ne refuse jamais de rendre service, assure l'accueil, accepte de faire le catéchisme. C'est le laïc « engagé » dans un mouvement d'Action catholique. Et puis il y a le pratiquant qui s'ennuie — parfois! — le dimanche à la messe, « sommeille à l'homélie... » et ne lit pas les encycliques, mais se considère « d'Église ». Rencontre avec Dieu sans émotion, seulement sous la motion de l'Esprit saint. Les signes de rencontre? Non pas la nuée du Sinaï, mais une certaine fidélité à la prière, aux sacrements. Autant de chemins pour rencontrer Dieu.

Cette rencontre s'exprime par une expérience spirituelle propre à chacun selon sa singularité. Précisément parce qu'elle est relative à chaque personnalité, il est difficile d'en rendre compte. Saint Paul lui-même ne trouve rien d'autre à dire que : « Je sais en qui je crois. » Savoir non pas rationnel, mais existentiel. Formule que je signe. Je pourrais préciser : Je sais en qui je crois, le seul à savoir du Christ ce que je sais dans cette relation qui s'est tissée entre Lui et moi dans le méli-mélo d'un écheveau de contradictions, de doutes à surmonter, de révoltes à dépasser, de renoncements à ma volonté, et aussi de grands moments de sérénité. Je sais ce que j'ai à vivre. Je suis

183

seul à le savoir mais non pas plein de suffisance dans une solitude romantique. Je suis en communion intense avec des milliers de frères dont je ne connais pas le visage. Toutefois, j'en ai des traces, par exemple, par leurs lettres reçues après un article de journal ou une homélie. Au sein de tant de différences, s'affermit en nous l'esprit de tolérance. C'est en lui que la sérénité de la foi trouve son assise.

Tous ceux qui indéfiniment ressassent du ressentiment, broient de l'amertume en entretenant leurs rancœurs, déceptions et désillusions, altèrent en eux cette paix inviolable que procure — nous y revoilà! — la gratuité absolue de croire en Dieu pour Dieu. C'est peut-être cela, cette fameuse foi adulte dont on parle tant. Une foi libérée. Comme c'est dommage, par exemple, de voir des prêtres sans joie parce que en conflit avec leur évêque! Comme si la foi tenait à leur rapport à l'évêque! Le pape, les évêques passent. Dieu, Lui, ne passe pas. En Lui seul j'ai mis ma foi. Et cette foi, je la proclame sans ombre dans le Credo de l'Église. Je la redis aussi au-delà des formules dogmatiques, telle que je la vis dans cet amour jumeau où Dieu et l'homme ne font qu'un. Je retrouve un témoignage que le journal *Le Monde* m'avait demandé pour l'insérer dans un livre publié au Seuil, en 1978, intituler : *Une brassée de confessions de foi.* Je n'ai rien à redire d'autre que ces quelques lignes, grandes lignes de ma sérénité...

« Je crois en l'homme, je crois en Dieu. Si l'on me demande à quoi ça correspond d'être un homme, je répondrai : ça correspond avec Dieu.

« Je crois en la vie. La vie de l'homme a un sens en elle-même. Le soleil, l'amour, la joie, le plaisir, les autres; ça vaut le coup. Si Dieu est Père, il ne peut l'être en vérité que s'il est heureux de voir ses enfants couper le cordon, prendre leur existence en main, se libérer de tout ce qui confine Dieu dans un déisme omnipotent et de tout ce qui enferme l'homme dans un état de vassalité aliénante. L'homme est fait pour l'homme. Pour atteindre sa plénitude, il est libre de prendre le chemin de Dieu. Jésus révèle alors qu'il n'est pas contradictoire de croire : l'homme-fait-pour-l'homme est fait-pour-Dieu. C'est là, entre ces deux finalités, que se situe la foi. Elle est un saut périlleux que Dieu me donne de faire dans le vide, entre Lui et moi. Entre la terre des hommes et le ciel de Dieu, il y a une distance à franchir, un désert : celui de la liberté. Une aventure à vivre : celle de la foi.

« En Jésus Christ, Dieu m'habite et Dieu m'échappe. Je le rate dans le mouvement même où je prétends l'atteindre. N'empêche, Il est là. Il me parle et je lui parle à ma manière... faisant miennes ces paroles de saint Augustin :

> « Eh bien, Seigneur, qu'est-ce que j'aime
> quand je t'aime?
> Ce n'est pas la beauté d'un corps
> ni l'apanage d'un moment,
> ni l'éclat de la lumière,
> cette lumière pourtant si chère à mes yeux,
> ce n'est pas la douce mélodie des chants de tout rythme,
> ni la suave odeur des fleurs, des onguents, des aromates,
> ni la manne et le miel,
> ni les membres qui s'offrent
> aux étreintes de la chair,
> ce n'est pas cela que j'aime
> quand j'aime mon Dieu.
> Et pourtant!

Dieu est une lumière et une voix
et une odeur et une nourriture
et une étreinte que j'aime
quand j'aime mon Dieu :
c'est la lumière, la voix, l'odeur,
la nourriture, l'étreinte
de l'homme intérieur qui est en moi,
où resplendit pour mon âme
ce que ne contient pas l'espace,
où retentit ce que ne ravit pas le temps,
où embaume ce que n'emporte pas le vent,
où se goûte ce que ne réduit pas la voracité,
et où demeure enlacé ce que ne desserre pas la satiété.
C'est cela que j'aime quand j'aime mon Dieu. »

Les Confessions

SAGESSE

« Nous t'invoquons, sagesse! »

PORTRAITS DE FAMILLE

Ma grand-mère paternelle, de son nom Marie, était sage. Sa figure domine la part de mon enfance qui n'arrive pas à vieillir. Elle était cette femme forte dont parle le livre de la Sagesse dans la Bible. Forte non pas par la taille. Forte par sa résistance physique. Forte par la trempe de son caractère. Bretonne comme ce n'est plus possible. Bretonne du pays de Léon, en ce lieu unique où l'Aber-Wrach célèbre les noces de la terre et de la mer. Je la revois dans sa maison de Kergoff, au bord de la grève Saint-Michel où nous passions nos vacances, mes frères, mes sœurs et mes cousins. Elle était de ces Bretonnes qui portaient la coiffe basse aplatie sur un bonnet noir. Je la revois avec ses sabots et son sarrau sur sa robe longue et sombre. Elle était simplement de ces femmes de marin qui savent ce que c'est que d'accompagner sur le quai, un matin de brume, le mari qui s'embarque pour un pays lointain. Mon grand-père paternel, que je n'ai pas connu, était timonier et boulanger sur les bateaux. C'est comme ça... qu'un jour il est parti de Brest sur un voilier pour le Japon. Sagesse de la patience : elle savait attendre sans se plaindre. Attendre en silence. Attendre en se demandant ce qu'il fait au juste, ce mari là-bas. Comment sera-t-il au retour? Attendre en faisant seule dans le foyer ce que les hommes font d'habitude. Un jour aussi, en 1940, elle a vu son grand fils partir à l'aventure, prendre la mer pour l'Angleterre dans un petit rafiot de pêcheur, avec quelques résistants volontaires pour la France Libre, quand les Allemands envahirent le pays. Ma grand-mère, les petits-enfants et ma tante, nous étions sur la « cale » du Korrejou, pour les adieux à l'oncle Yves, jusqu'au moment où le canot (prononcez canotte!) disparut comme un point derrière le phare de l'île Vierge. Rentrés à la maison, ma tante en pleurs ne cessait de parler; ma grand-mère, elle, silencieuse et secrète, éplucha, ce jour-là... les petits pois du jardin qui étaient prévus pour la soupe au lard, avec le *far bilic*. La vie continue. Elle s'est contentée de dire : « Pierre, tu mettras la table! » Sagesse du calme dans l'épreuve. Sagesse de la fidélité au quotidien dans l'écume des jours.

Elle était simplement de ces paysannes qui font ce qu'il y a à faire. Nous, petits Parisiens en vacances, habitués à la vie citadine, nous étions très intrigués par les tâches qu'elle accomplissait. Elle n'arrêtait pas. Très tôt le matin, alors qu'elle nous croyait endormis, nous la contemplions par la fenêtre. A genoux dans le jardin, avec tante Marie-Renée, elle binait, elle sarclait les carottes et autres légumes poussant dans cette terre de sable qui sentait bon les embruns. Nous la regardions aussi fascinés dans ce lavoir, alimenté par un cours d'eau dans les champs. A genoux dans sa caisse à savon, elle lavait les draps (encore à plus de 80 ans) à coups de battoir. Elle les ramenait à elle, pliait et repliait, main sur main, avant

188

de les rincer dans les seaux où surnageait la boule bleue qui devait les rendre plus blancs! Mais la suprême récompense était d'aller avec elle à la ferme chercher le beurre salé décoré.

Elle était simplement de ces grands-mères qui aiment faire plaisir à leurs petits-enfants. Elle nous emmenait à la plage à Lilia, au Korréjou ou à Bassinic, désertes à l'époque, pour la pêche à la crevette et aux bigorneaux. Elle nous surveillait en attendant l'heure du goûter, véritable fête de croquer à pleines dents dans ces grandes tartines de l'énorme pain rond. Ah les tartines du pain-beurre de quatre heures!

Elle était simplement de ces filles de la mer et du vent qui ne se laissent pas impressionner par ce que nous appellerions aujourd'hui les frimeurs. Dans son breton à elle, c'était des petits coqs, des *kilhog,* des *guinaoëcs,* des *dujelocs,* des *glabousers.*

Elle était simplement ce qu'elle était, acceptant que chaque jour suffise à sa peine. Pas de quoi faire un roman sur la sagesse! Cette sagesse, qui émanait d'elle sans qu'on puisse la présenter comme un modèle en soi, était faite d'honnêteté, de bon sens, d'amour. Sagesse sans rien d'extraordinaire, comme n'avait rien d'extraordinaire la vie à Nazareth de la Vierge.

Telle mère, tels fils. Mon père avait hérité d'elle sa sagesse. Je voudrais d'abord faire mémoire de sa mort, parce que significative de la silencieuse sérénité dont il a témoigné durant toute sa vie.

Quénan Talec, Breton de Breton, né à Brest au bord de la mer, est mort au bord de la mer, à Quiberon, dans la clarté d'un soir d'été, le dernier jour de ses vacances. Comme tant de marins, surpris par la tempête, qui ne reviennent pas au port, il a été embarqué pour la traversée sans retour. Il est parti en chantant. A la fin du dîner, il chantonnait la musique qu'il écoutait. Et puis, comme il arrive sur l'océan quand subitement se lève le vent, une lame de fond l'a soulevé vers l'Éternité.

Mort à l'improviste mais non improvisée. Il était prêt. Mort survenue lorsque la lumière du couchant se fait douce, tarde à s'éteindre jusqu'au moment fragile où, virant dans le sombre embrasement de l'océan, l'horizon nous fait comprendre : c'est fini. Le jour s'en est allé. Mort sage comme le fut toute sa vie, sans faire d'histoire de ce qui n'en était pas. Vie paisible, mais non exempte de soucis avec ses neuf enfants. Bien des orages traversèrent sa carrière politique où il exerça une longue militance chrétienne. Dans les conflits, contrairement à la sagesse proverbiale de Salomon, il ne tranchait pas dans le vif. Sérénité ancrée dans la sagesse de savoir prendre du recul et relativiser toute chose. Il avait l'art d'avaler des couleuvres sans devenir langue de vipère; l'art de décanter sans déchanter.

A 86 ans, il aurait pu être courbé comme ces arbres ras et rares qui se hasardent sur les champs surplombant les grèves du Finistère. Mais non. Il était droit physiquement comme il l'était moralement. Droiture à la saint Joseph, comme lui il fut un homme fidèle et juste, discret et secret. Sagesse du silence : jamais il ne jugeait autrui, trop respectueux de la vie privée des autres, du respect de la singularité humaine. Il se contentait de dire : « On ne sait jamais. » Sagesse de cette miséricorde dont saint Paul nous assure qu'elle excuse tout...

Chaque mort d'un être aimé est un vendredi saint. Quand le téléphone retentit pour nous annoncer le décès de mon père, nous étions frères et sœurs ensemble joyeusement en famille, à l'autre bout de la France. Impossible alors d'exprimer l'arrachement brutal que nous avons ressenti. C'était comme si « quelque chose » en nous-mêmes venait d'être lacéré, comme si en notre temple intérieur « quelque chose » s'était déchiré pour nous dévoiler ce que nous savons intellectuellement mais que nous ressentons viscéralement d'un seul coup : la mort est un non-lieu. Seule la promesse de la Résurrection faite par Jésus Christ parvient à nous faire croire que « quelque chose » d'autre peut encore avoir lieu. Mais quoi vraiment? Bref, aussitôt la nouvelle, cinq des neuf enfants que nous sommes purent accourir, comme si le fait de se lancer comme des fous dans la nuit pouvait changer quoi que ce soit. Mais le cœur a ses raisons. Besoin filial de le voir, « le Père », comme si lui-même éprouvait encore le besoin d'être entouré de cet amour qui le fit vivre jusqu'au dernier jour. Besoin aussi de parler, de pleurer, de nous embrasser, de raviver des souvenirs qui font fondre en larmes. Besoin également de nous taire. Aussi, de petit matin, avant que la foule des vacanciers ne vienne souiller le silence de la mer, nous sommes partis ensemble sur les rochers pour méditer, mais chacun de son côté, sans autre témoin que les mouettes planant à fleur d'eau. Là, personnellement, j'ai fait l'expérience d'une sérénité imprévisible, liée sans doute superficiellement à cette atmosphère de paix face à l'immensité, mais certainement et plus profondément le fruit de cette grâce d'avoir engrangé depuis des années et des années, méditation après méditation, des paroles d'Évangile qui affluèrent à ce moment, revêtant alors une singulière acuité.

« Vous avez reçu cet Esprit qui vous fait crier. *Abba*, Père! » Par nous-mêmes nous sommes incapables de réaliser qu'être Dieu, c'est être Père.

« Il faut que je m'en aille, dit Jésus, sinon vous ne recevrez pas l'Esprit. »

Il aura fallu que mon père disparaisse et que j'atteigne 57 ans pour être subitement ébloui par la force des liens qui m'unissaient à lui, pour que je réalise de manière foudroyante ce que je trouvais normal : l'inappréciable don d'être fils, se savoir mis au monde, offert à l'existence et non pas jeté au hasard. Il aura fallu que j'en arrive à trente ans de sacerdoce pour que je sois saisi par ces paroles de la messe, encore trop à l'état de formule : « Nous osons dire... Notre Père. »

Si mon père que j'ai aimé sur terre de cette affection qui n'est que pâle image de la paternité divine, Dieu, qu'est-ce que ça doit être! « Voyez quel grand amour nous a donné le Père pour que nous soyons appelés enfants de Dieu » (Jn 3, 1). Et qu'est-ce que ça pourrait nous faire d'apprendre que Dieu est père si ce savoir n'en restait qu'à un stade théorique? La foi est affection. Non pas sentimentalisme. Je veux dire qu'elle nous affecte, elle nous touche en notre être de chair et de sang. Elle nous bouleverse au point qu'au-delà des doutes à sur- monter, des hésitations à dépasser, on ne peut s'en défaire. Cela dans la mesure où nous entrons en contact avec Dieu comme le Christ entre en relation avec son Père. Essentiellement en Fils, dans la dépendance de l'amour qui rend libre.

La mort de mon père m'a fait toucher du doigt ce que je ne cesse moi-même d'enseigner : la foi est sagesse d'être fils face à la folie qui consiste à prétendre vivre par soi, seulement pour soi. Sans Dieu, indépendamment des autres. Sagesse de l'esprit filial donc qui intervient non seulement dans notre rapport à Dieu, mais dans nos rapports avec autrui.

192

« Nous t'invoquons, Sagesse! et t'impliquons dans nos serments », écrit magnifiquement Saint-John Perse, le poète le plus amarré à notre temps. Dans son sillage, j'ai, quant à moi, envie de dire :

> Rien ne dit mieux que la mer — « en nous portée, jusqu'à la satiété du souffle » — ce désir inassouvi d'arriver en l'espace d'une vie à autre chose que le temps qui nous est ravi.
>
> Rien ne dit mieux que la mer la vague du temps dans l'afflux et reflux — en quel point de l'Océan? — du perpétuel mouvement qui s'annihile sur nos rivages d'âme.
>
> Rien ne dit mieux que la nuit des mers d'asphalte sous la lune ce que sera la dernière marée quand elle surviendra pour nous prendre en sa lame de fond dans le roulis d'un cargo trop lourd de peine, vers la destination d'éternité promise comme sereine : enfin la Sagesse!
>
> Nous faisons appel à toi, Sagesse, pour nous apprendre à être plus raisonnables, à vivre le temps comme demeure de la sérénité, à consentir au temps, être de notre temps et en même temps nous ouvrir à l'Autre-temps.

TRÉSOR DE LA SAGESSE HUMAINE

Comment la sérénité — tel un anticyclone de beau temps fixe — pourrait-elle prendre position en nos vies, quand périodiquement des vents contraires se lèvent sur le monde? Pourquoi, s'interroge le psalmiste, depuis des siècles et des siècles les nations ne cessent-elles de frémir? Pourquoi, ici et là, ce perpétuel grondement de peuples en furie? Pourquoi cette folie qui conduit aux génocides, aux camps de concentration, et aussi à tant de drames? Réponse des livres de Sagesse : si la terre ne tourne

193

pas rond, c'est la faute des hommes impies sans foi ni loi. Et si ça va mal dans notre petite sphère à nous, c'est aussi de notre faute. Nous ne sommes pas habités par la crainte de Dieu. Et la crainte de Dieu, c'est le commencement de la sagesse, dit le livre des proverbes (15, 33).

Crainte de Dieu! Non pas la peur de Dieu! Mais sens de Dieu. Il nous indique la direction à suivre, le chemin de la sérénité à prendre nous-mêmes. Humainement, le commencement de la sagesse, c'est le bon sens. Le bon sens paysan. Paysan! J'aime ce mot noble quand il désigne l'homme dont on peut dire : « Il est du pays. » Quelqu'un qui ne vient pas de nulle part. Il connaît. Il sait. Il peut indiquer tous les chemins qu'on lui demande. Bien implanté en lui-même, il a les pieds sur terre, la tête sur les épaules. Le bon sens malheureusement n'est pas la chose la mieux partagée du monde. L'homme a cette supériorité sur l'animal de pouvoir aller à l'encontre de ses intérêts, nuire à sa propre existence, alors que la bête reste toujours dans les normes de sa survie. La sagesse, en ce qu'elle a de plus élémentaire, participe à l'instinct de conservation de l'animal, programmé pour ne retenir que ce qui lui convient. La vache, par exemple, sélectionne d'instinct les bonnes herbes des mauvaises. Elle ne broute pas de boutons-d'or qui pourraient l'empoisonner. L'homme, lui, peut se détruire sciemment, physiquement et moralement. Il peut se faire du mal à lui-même par plaisir masochiste, par scepticisme, cynisme, machiavélisme, vice, perversion, jusqu'à la mort. Mais l'homme a aussi la sagesse de pouvoir s'accomplir dans le bien, avoir le sens de l'autre sans lequel il ne peut vivre en société.

La sagesse est sociable : bien commun, civisme, solidarité lui sont familiers.

Le bon sens, tout simplement, c'est le sens du réel. Consentement à l'inévitable : hérédité, milieu social, santé, argent, aléas de l'existence. Consentement à vivre avec contentement. Le sage se contente de ce qu'il est au sens où Spinoza écrit dans son *Éthique* : « Le contentement de soi est une joie née de ce que l'homme se considère lui-même dans sa puissance d'agir. »

• *Contentement !* A ne pas confondre, bien sûr, avec la satisfaction béate des imbéciles heureux, des vaniteux qui n'ont pas l'intelligence de ce raffinement de l'orgueil dont l'astuce est de paraître modestes. Contentement qui n'est pas la suffisance de ceux qui, n'ayant rien à attendre des autres, se rengorgent en eux-mêmes, souvent d'ailleurs dans une médiocrité qui faisait dire à l'un des maîtres que j'ai eus durant mon enfance, à propos de certains cancres : « Nul, mais content ! »

• *Contentement !* L'art de faire le compte de ses talents pour agir au mieux dans sa vie, la prenant comme elle vient. Le sage se prend lui-même comme il est venu au monde, acceptant de ne pas avoir demandé à naître. Si vous ne pouvez pas vous souffrir, vous souffrirez d'autant plus de la souffrance qui survient ! Le sage est son propre support. Se supportant lui-même, il peut supporter les autres, leur apporter même ce qu'il n'a pas, car ce n'est pas forcément vrai de dire : « On ne donne que ce que l'on a. » On donne aussi parfois ce que l'on n'a pas, ce à quoi on aspire, ce vers quoi on tend sans le posséder pleinement, sinon comment le prêtre, par exemple, pourrait-il prêcher la Parole de Dieu sincèrement, de tout son cœur, de toutes ses forces, alors qu'il est faible et pécheur comme tout homme ?

195

• *Contentement !* Le sage est satisfait de ce qu'il a, sans cependant se résigner à une vie rabougrie, sans envier ce qu'il ne peut avoir. En un mot, le sage est raisonnable. Quand on dit à un enfant : « Sois sage », on lui demande de se tenir à carreau. A l'adulte, on lui demande de se conformer à la raison. C'est bien là le maître mot des philosophes, mot qui signifie précisément amoureux de la sagesse. Les philosophies grecques anciennes – stoïcisme et épicurisme – peuvent nous aider encore à « entendre raison ».

Entendre raison, pour un stoïcien, c'est donner son assentiment à l'ordre du monde, l'ordre du réel. Le sage demeure stoïque devant l'adversité, impassible devant l'inéluctable, refusant de se laisser déconstruire par des causalités extérieures, tout en faisant le maximum pour remédier à ce qui le contrarie. Ainsi, le stoïcien parvient à cette forme de sérénité qu'on appelle « ataraxie ». Quiétude olympienne, elle a quelque chose de volontariste, mais aussi elle peut être un certain parti pris du moindre effort. Ainsi, Démocrite, philosophe du Ve siècle avant Jésus Christ, dans son ouvrage *De la tranquillité ou du bien-être,* écrit :

> « Celui qui veut connaître la tranquillité (de l'âme) ne doit pas s'occuper de nombreuses affaires, pas davantage privées que publiques, ni rien entreprendre au-dessus de ses forces ou de ses facultés : il faut qu'il se tienne toujours sur ses gardes pour pouvoir, lorsque la chance lui sourit et l'amène à un plus haut degré de réputation, garder les pieds sur terre et n'entreprendre rien qui soit au-dessus de ses forces. Car mieux vaut une charge raisonnable qu'une charge excessive. »

Cette règle de conduite – à l'opposé de Platon et Aristote, qui prônèrent de prendre part aux affaires de la cité – deviendra l'idéal de l'épicurien. Se voulant sage, il lui importe avant tout de ne pas souffrir et non pas, contrairement à des idées reçues, de jouir à tout prix. L'épicurisme n'est pas la recherche aveugle du plaisir, mais le calcul rationnel des plaisirs et des peines. L'épicurien préfère s'en tenir à l'apathie, une certaine indifférence, la sérénité étant atteinte, selon lui, quand on acquiert cette sagesse qui est propre au bouddhisme, l'extinction du désir.

Le bouddhiste, lui aussi, évite tout ce qui peut faire souffrir. La cause de notre souffrance morale, c'est l'illusion de notre vouloir. Nos désirs nous remplissent d'envies non satisfaites qui nous frustrent, de soucis qui encombrent notre esprit et altèrent notre vie intérieure. Inscrivant toute vie dans un cycle du devenir, le bouddha s'efforce d'atteindre le nirvana. Il n'est pas le paradis, mais le vide absolu ou l'Absolu vécu comme le vide intégral, source de la sérénité. Par des techniques et des méthodes, mais surtout par la méditation *(Bhavana),* le bouddha acquiert une culture véritable qui lui permet de se concentrer, de s'éveiller à la sérénité, de se concentrer sur l'essentiel. Mais qu'est-ce que l'essentiel?

Les valeurs d'accueil, de générosité, de bienveillance, de miséricorde et surtout de paix, sont au centre de sa morale altruiste, mais aussi le détachement que la personne doit pratiquer pour elle-même et qui aboutit à l'indifférence devant tout ce qui peut entamer la sérénité. On peut s'interroger sur la joie que procure une sérénité acquise au prix, il faut bien le dire, d'une certaine passivité. Faut-il, pour se libérer de tout ce qui est illusoire dans la vie, démissionner de la vie elle-même? Quand on voit ce que donne l'économie des pays où le bouddhisme prédomine, on peut se demander si cette sérénité ne relève pas d'une mentalité archaïque peu adaptée à la modernité. Même question pour l'islam.

ÉLOGE DE LA SAGESSE DIVINE

L'homme en quête de sérénité trouvera dans la révélation biblique de la sagesse le trésor qu'il recherche. De nombreux courants de sagesse sillonnent déjà depuis des millénaires le Proche-Orient ancien quand l'Ancien Testament réunit ses collections de propos de sagesse. Dans le genre, l'épopée de Gilgamesh et le poème d'Adapa sont des best-sellers en Mésopotamie. En Égypte, l'*Éloge de la sagesse* du vizir Phahotep (2300 avant Jésus Christ) est reçu comme parole d'évangile... Cela sans compter bien sûr les courants plus tardifs d'Extrême-Orient, au VIe siècle avant Jésus Christ, avec Bouddha et Confucius, etc.

Que dire de la Sagesse? Elle est faite de lucidité, de jugement, de discernement, de maîtrise de soi, de constance, de savoir-faire. Elle est le reflet d'une bonne santé mentale, d'un équilibre de vie fondé sur le respect des valeurs morales. Elle suppose une déontologie, une éthique. Elle relève du spirituel. Bref, tout cet humus humain me fait penser aux alluvions que drainent les bras tentaculaires des grands fleuves du monde quand ils se jettent dans la mer. Dans ce paysage, je vois la sérénité s'étendre au milieu des champs de nos vies comme un delta recevant l'affluence de ces richesses de la terre que féconde la Sagesse. Nul doute, la Sagesse influence la sérénité. A la limite, elle s'identifie à elle. Elle est à la jointure de son âme. Elle en est le royaume, cette perle aussi fine que rare qui mérite qu'on lui sacrifie tout pour l'obtenir. Autant dire que la Sagesse est un art de vivre, une école de vie, une école de la foi dans les grands moments de l'existence et les questions qu'elle pose.

Tel est le message des sept livres de l'Ancien Testament, dits « Écrits de Sagesse » :
– le Livre de la Sagesse : quelques traits du visage de Dieu,
– Job ou la sagesse devant la souffrance,
– Qohélet (L'Ecclésiaste), ou la sagesse devant le dérisoire de l'existence,
– le Cantique des Cantiques, ou la sagesse de l'Amour,
– les Psaumes, ou la sagesse de la foi,
– Ben Sira (L'Ecclésiastique), ou la sagesse en toutes circonstances et de toutes les manières,
– les Proverbes, ou les sentences de l'homme avisé.

Ces deux derniers livres multiplient les traits qui dessinent le portrait-robot de l'homme avisé. Cliché assez pâle, il faut bien l'avouer, car ces sentences, assurément pleines de bon sens, pour être inspirées, n'en sont pas moins, pour un certain nombre, agrestes et ingénues, faites davantage pour un monde rustique que pour notre modernité. Néanmoins, au-delà de ces maximes, ils amorcent une réflexion tant au plan métaphysique que théologique.

Les auteurs inspirés sont avant tout soucieux de se démarquer des positions païennes qui considéraient la Sagesse comme une véritable divinité. Ils s'évertuent à montrer que la Sagesse est « de » Dieu, « auprès de Dieu », sans être Dieu lui-même, car Il la transcende. La Sagesse est davantage, autre chose qu'un ensemble de qualités. Elle est un don de Dieu que l'homme doit faire fructifier.

Elle est un état d'esprit. On la traite alors comme si elle était une personne. Tantôt elle est présentée comme une maîtresse de maison heureuse de lancer ses invitations : « Venez! Goûtez mon pain. Dégustez mon vin! » (Pr 9, 5). Tantôt elle se fait désirer comme une maîtresse « tout court ». Ainsi, Salomon avouera :

> « La Sagesse!
> C'est elle que j'ai aimée dès ma jeunesse...
> Je suis devenu l'amant de sa beauté
> Je résolus donc d'en faire la compagne de ma vie. »
>
> *Sg 8, 2 et 9*

Le livre des Proverbes fait de la Sagesse la femme éternelle. Écoutez-la!

> « Le Seigneur m'a créée, première de sa Création
> Je suis de toute éternité.
> Au commencement, j'étais!
> Quand l'abîme n'était pas... je fus enfantée.
> Avant même que le Seigneur eût fait la terre
> J'étais à ses côtés, comme le maître d'œuvre
> Faisant ses délices, jour après jour,
> M'ébattant de joie en sa présence
> et faisant mes délices d'être avec les enfants des hommes. »
>
> *Pr 8, 22-31*

Voulez-vous devenir amoureux d'elle, la Sagesse? Méditez ce qu'en dit l'auteur inspiré, et vous trouverez peut-être dans cette parole de quoi rêver à la sérénité.

> « Il y a en Elle, la Sagesse,
> Un esprit intelligent et saint
> Unique et multiple, aussi subtil qu'agile,

200

Pénétrant et pur, clair et inaltérable.
Indépendant, bienveillant, ami de l'homme,
Constant, ferme, puissant.
Aussi la Sagesse est-elle plus mobile qu'aucun mouvement.
Très pure, elle passe et pénètre à travers tout.
Elle est effluve de la puissance de Dieu,
Pure irradiation de sa gloire.
Nulle souillure ne se glisse en elle.
Elle est reflet de la lumière éternelle,
Miroir sans tache de l'activité de Dieu,
Image de sa bonté.
Elle est unique, elle peut tout :
Elle renouvelle l'univers de l'intérieur.
Au long des siècles, elle se communique aux cœurs disponibles
Pour former des amis de Dieu et des prophètes.
Seuls sont aimés de Dieu ceux qui partagent le secret de la Sagesse.
Elle est plus radieuse que le soleil, au-delà de toute constellation. »

D'après Sg 7, 22-30

FOLIE DE LA SAGESSE CHRÉTIENNE

Parmi tous les acteurs du Nouveau Testament, saint Paul est par excellence l'apôtre de la Sagesse. Il a des paroles enflammées qui se consument autour d'un paradoxe qu'il répète à l'envi dans les deux premiers chapitres de sa première épître aux Corinthiens :

« Ce qui est folie de Dieu est plus sage que les hommes et ce qui est faiblesse de Dieu est plus fort que les hommes. »

ou encore :

> « Ce qui est folie dans le monde, Dieu l'a choisi pour
> confondre les sages; ce qui est faible dans le monde, Dieu
> l'a choisi pour confondre ce qui est fort; ce qui dans le
> monde est vil et méprisé, ce qui n'est pas, Dieu l'a choisi
> pour réduire à rien ce qui est, afin qu'aucune créature ne
> puisse s'enorgueillir devant Dieu. »

Ce que saint Paul fustige ainsi, ce n'est pas la sagesse humaine en tant que telle, mais sa prétention à tout savoir et, au bout du compte, à prendre la place de Dieu. Et quelle place Dieu lui-même a-t-il choisie en ce monde où il est venu nous révéler la Sagesse de son Esprit? La dernière... « Celui qui veut être le premier sera le dernier! » Place à l'humilité! Place à la Croix : « Scandale pour les Juifs, folie pour les païens, mais Sagesse de Dieu! » Voilà « la Sagesse que nous enseignons aux chrétiens, précisera alors saint Paul : Sagesse qui n'est pas de ce monde ni des princes de ce monde ».

Toute l'argumentation paulinienne de la Sagesse repose sur le paradoxe qui ressort de la prière dite « sacerdotale » que Jésus fit à la veille de sa Passion, nous laissant, dans ces paroles d'un Dieu qui va mourir, le testament de la Sagesse de l'Esprit : « être *dans* le monde sans être *du* monde ». Telle est l'originalité de la Sagesse chrétienne. Elle a du caractère. Le caractère du Christ. Le caractère pascal. Tirant son origine de ce mystère de mort et résurrection du Christ, la folie de la Croix ne sombre pas dans une démence qui s'abîmerait en elle-même. Elle fleurit au matin de Pâques, faisant surgir la vie du vide que sont tous ces tombeaux faits de nos lambeaux de vie. Folie donnant ce fruit de l'Esprit appelé Sagesse.

Sagesse chrétienne! Elle nous permet de découvrir dans

les ronces de nos existences déchirées les semences du Monde Nouveau. Animée par l'Esprit, elle nous donne de pouvoir traverser la mort de toutes nos morts afin que jaillisse la vie en plénitude. Quiconque veut grandir en sagesse ne peut se passer de méditer et reméditer le récit de la Résurrection du Christ, triomphe de la Sagesse du Père.

Dans l'alignement des lignes, laissons-nous prendre aux mots. Laissons-nous surprendre par la lumière qui jaillit des étincelles que provoque l'entrechoc des mots. Mot après mot, dans ce jeu des mots, à nous de découvrir la Parole enfouie au creux du langage symbolique propre à la mystique. La Parole de Dieu ne se lasse pas de nous dire, de nous faire dire, toujours autre chose. C'est cela aussi, la Sagesse. Fécondité de la Parole! L'Esprit sème où il veut.

• *« Le premier jour de la semaine »*, jour choisi par le Père pour susciter la vie en son Christ venu sur terre. Jour sacré pour ressusciter par la puissance de l'Esprit ce qu'il y a d'unique à être « le Fils »! Je vois un lien entre le premier jour de la Genèse — quand Dieu au commencement créa le ciel et la terre, quand au commencement était le Verbe — et puis ce premier jour de la semaine où le Verbe fait chair surgit éternel! Manifeste est le lien entre ce premier matin du monde où Dieu — devant le vague et le vide de la terre — fit de rien tout ce qui existe, et puis ce premier jour de la semaine où Dieu fit émerger du tombeau Celui qui signala par le vide qu'Il était en vie. Il était la Vie!

• *« A la pointe de l'aurore, les femmes se rendirent au tombeau avec les aromates qu'elles avaient préparés. Elles trouvèrent la pierre roulée devant la tombe. Elles entrèrent mais ne trouvèrent pas le corps du Seigneur Jésus. »*

Encore un lien entre la première heure de la création où Dieu, dans les ténèbres couvrant l'abîme, avait dit : « Que la lumière soit et la lumière fut », et puis cette pointe de l'aurore sur Jérusalem où Dieu révèle qu'il a fait sortir de la Nuit sépulcrale Celui qui est la lumière pascale, Celui qui avait osé dire : « Je suis la lumière du Monde. » C'est bien cette lumière qui fit lever les femmes de Dieu de bon matin, quand le liseré du jour se confond avec le ciel cendré, perdant une à une ses étoiles... Elles se rendent en ce lieu où la mort de toutes nos morts se décompose. Elles trouvent la pierre tombale enlevée : ouverture de la Foi, mais aussi son épreuve : Dieu ne se trouve pas dans ces aromates que sont les arrangements de l'intelligence. Dieu se cache dans la Sagesse.

• *« Deux hommes leur apparurent en habits éblouissants. Prises de peur, elles regardent à terre. Alors, ils leur dirent : Pourquoi cherchez-vous parmi les morts celui qui est vivant ? Il n'est pas ici. Il est ressuscité. »*

C'est bien connu, quand Dieu se manifeste il se fait représenter par des figures de Lui-même, des anges aux allures humaines. Ici, les femmes voient apparaître, devant la pierre roulée, deux hommes aux habits éblouissants. (Pourquoi deux, alors que Marc parle d'un jeune homme en robe blanche ?) Quel symbole, ces deux hommes ? Ne sont-ils pas la figure des deux natures — humaine et divine — de Jésus, maintenant glorifiées de manière éblouissante ? Remarquez, Jésus ne dit pas : « Je suis ressuscité. » Il est sage. Il le fait dire. Il l'envoie dire : « Il est ressuscité ! » Dieu se laisse toucher, comme Thomas en témoigne, mais on ne met pas la main sur Dieu. Il est donc sage de ne pas en dire plus que ce que l'écho de la Parole de Dieu nous permet de répercuter...

• Dans l'*Ancien Testament,* Salomon, figure proverbiale du Sage, idéalisé par son fameux jugement au temps
de sa jeunesse, voit son mythe s'effondrer au fur et à
mesure qu'il prend de l'âge. Lui dont la Reine de Saba
avait proclamé : « Tu surpasses en sagesse, renommée et
prospérité ce que j'avais entendu dire », ne fut cependant
pas assez fort pour résister à la tentation de l'idolâtrie
ambiante. Entouré de femmes étrangères, il vénère Astarté.
Lui, l'architecte du Temple de l'Éternel, bâtit un sanc-
tuaire aux divinités païennes. Même si, pour la forme,
l'éloge final du livre des Rois semble mettre Salomon au
pinacle, sa vieillesse, loin d'être reluisante, fut marquée
par de dures épreuves : révoltes, séditions et annonce du
schisme qui devait à tout jamais dépecer son royaume.
Le livre des Rois conclut : « Salomon se coucha avec ses
pères et fut enseveli dans la cité de David. »

Sans avoir la réputation de son fils Salomon, David
fut au moins aussi sage que lui à d'autres titres. Saül, le
roi fou, choisit David pour être le fou du roi. David se
montre sage devant la jalousie de Saül à son égard. Sage
par l'astuce avec laquelle il conquiert la cité des Jébuséens,
qui devient Jérusalem. Sage en unifiant le pays, en devenant roi d'Israël à Hébron et de Juda à Jérusalem. Sage
surtout par l'humilité du pécheur qui, reconnaissant sa
faute, sait demander pardon. Pour « avoir » Bethsabée
qui le séduit, il envoie à la mort Urie, le mari de sa
« conquête ». Un moment de folie peut briser toute une
vie, mais la sagesse de toute une vie ne se juge pas sur
un seul moment de la vie.

On pourrait énumérer bien d'autres figures de Sages : Job, Ruth, Judith, etc. Je retiendrai seulement le patriarche Joseph « à qui tout réussit » (Gn 39, 2). Il fait preuve de clairvoyance par la manière dont il interprète les songes du Pharaon, et de droiture en toute occasion, notamment en résistant aux propositions de la femme de son maître. Il est figure du Christ, victime et sauveur. Laissé pour mort par ses frères qui le jalousent, il les sauve finalement eux-mêmes livrés à la mort par la famine. Folie des hommes à l'encontre de la sagesse de Dieu qui fait son œuvre.

• Dans le *Nouveau Testament,* je veux seulement faire mémoire de la Vierge Marie. Elle est invoquée dans les litanies qui lui sont consacrées sous le vocable : « Trône de la Sagesse. » Trône, pourquoi? Celui qui est assis à la droite du Père ne s'est-il pas également assis sur les genoux de sa Mère? Il faut aller admirer le tympan du portail Sainte-Anne, à la cathédrale de Paris. Marie trône, impressionnante de sérénité, nimbée dans la gloire de son Assomption. Resplendissante, assise dans un port altier, elle tient sur ses genoux Celui dont nous sommes héritiers, Celui qu'elle a porté en son sein. Elle nous le présente enfant au visage de ressuscité. Comme si le Ressuscité avait des yeux d'éternel enfant! Les beaux soirs d'été, quand enfin la foule est dispersée et que le soleil couchant pose sa lumière douce et dorée sur ce trône de la chair glorifiée qu'est devenu le corps de Marie, je contemple en silence. Le sculpteur, par la beauté de la pierre, nous intronise dans le mystère prodigieux d'un Dieu acceptant de recevoir de la Femme sur terre la Sagesse dont Il est l'auteur suprême dans les Cieux.

Nos mots défraîchis à force d'avoir servi ne savent pas aussi bien dire ce que le chant lapidaire d'une cathédrale nous suggère. Ce n'est pas une raison pour ne pas risquer d'évoquer par l'écriture ce que fut cette sagesse de Marie.

A l'Annonciation, elle aurait pu, la pauvre, perdre tous ses moyens. Bien difficile d'imaginer la scène! Qu'il y eût un ange ou qu'elle ait eu simplement une vision, qu'est-ce que ça change? On sait l'essentiel : Marie a été prise dans le souffle de l'Esprit pour apprendre qu'elle était bénie entre toutes les femmes, choisie afin de mettre au monde le Créateur du monde. Sacrée nouvelle! Avouez qu'il y a de quoi perdre la tête! Mais non! Marie a les pieds sur terre. Elle demande à savoir comment cela va se passer, puisqu'elle est vierge. Sagesse d'un équilibre humain qui ne s'en laisse pas remontrer par le premier venu, fût-il un ange... Sagesse humaine habitée par la sagesse de l'Esprit. Marie finit par accepter de porter en elle, pour l'apporter au monde, Celui qui sera appelé « Premier-Né d'une multitude ». Et qui s'empare de sa vie!

A la naissance de ce Fils pas comme les autres — tout en étant comme les autres — elle aurait pu, la pauvre, perdre tous ses moyens. Des Cieux on vous annonce que vous serez Mère du Très-Haut, et vous voilà obligée d'accoucher dans une étable où les animaux mettent bas! Avouez qu'il y a de quoi perdre la tête pour cette jeunette de Nazareth! Mais non. Joseph n'est-il pas là, ne la quittant pas des yeux, ne la quittant pas du cœur, car maintenant il a tout compris, grâce à l'Esprit. Sagesse de l'équilibre humain, Marie se sent en sécurité dans cette présence du silence d'un homme qui accepte d'être « nourricier ». Sagesse de l'Esprit que Marie accueille grâce à ce drôle de mari. Lui aussi a consenti à ne pas tout comprendre.

Dans ce massacre des Innocents, tandis que les jeunes

207

mères hurlent d'horreur de se voir maculées du sang de leur enfant, égorgé par les soldats d'Hérode, elle aurait pu, elle l'Immaculée, perdre tous ses moyens devant cette sauvagerie. Marie, qui n'a pas demandé à être épargnée, va suivre le chemin qui lui est tracé, sans savoir où la conduit sa destinée. Selon ce que Jésus dira plus tard à Pierre : « Un autre te conduira où tu ne voudrais pas aller », elle prendra le chemin qui mène vers l'Égypte. En fait, c'est là que l'Esprit de Sagesse la dirige.

C'est encore l'Esprit de Sagesse qui la réconfortera lorsque le coup de lance du soldat ensanglantera son Fils sur la Croix. Ce coup de lance, c'est le coup de glaive annoncé par le vieillard Siméon, qui transpercera le cœur de Marie, devenue ce jour-là Notre-Dame de la Douleur humaine. Marie, mère sacrifiée de l'Innocent crucifié. Marie, mère de tant d'innocents massacrés. Marie, il lui faudra attendre le coup de vent de la Pentecôte pour être manifestée grâce à l'effusion de l'Esprit, Notre-Dame de la Sagesse. Mais n'anticipons pas, car cette sagesse elle devra l'accueillir tout au long de sa vie à Nazareth.

Trente années ou presque passées à quoi faire? Pour quoi faire? Facile pour nous de baptiser « vie cachée » ces longues années d'ombre dont le sens nous apparaît après coup par le débouché sur la « vie publique ». Mais que savait-elle, Marie, de cette finalité de l'existence de Jésus à laquelle toute sa vie était suspendue? Avouez qu'elle aurait pu s'impatienter de ne découvrir dans ce Fils chéri, annoncé comme le Messie, rien d'autre apparemment qu'un petit garçon qui se contentait de grandir « en âge et en sagesse ». Comme bien d'autres enfants de son âge! Oui, mais quelle sagesse? Celle d'un petit gars, comme on dit, « facile à élever », raisonnable? Oui, bien sûr. Mais voilà qu'un jour, à travers cette sagesse humaine, l'Esprit de Sagesse s'est manifesté à Marie et Joseph : fugue de Jésus. Inquiétude des parents. On le retrouve à Jérusalem, dans le Temple, assis au milieu des docteurs. Vous ne direz pas que le symbole n'est pas éblouissant : c'est la fête de Pâques. Jésus disparaît trois jours pour réapparaître.

Il était perdu et Il est retrouvé. On aurait pu le croire mort à tout jamais. Il est vivant! Comment ne pas voir en filigrane le mystère pascal de la Mort et de la Résurrection du Christ Sauveur? Les parents, bien sûr, ne peuvent encore rien supposer. Nous, les chrétiens, en relisant après vingt siècles ces événements à la lumière de Pâques, nous pouvons les interpréter ainsi. Quoi qu'il en soit, le coup est décisif. L'Esprit de Sagesse se manifeste à Marie et Joseph. Vraiment cet enfant n'est pas ordinaire. Il a l'audace de révéler : « Ne savez-vous pas que je me dois aux affaires de mon père! » Charmant pour Joseph! Et pauvre petite Marie! Mieux vaut entendre cela que d'être sourd! Vous imaginez, pour une mère inquiète d'avoir perdu son petit, l'entendre lui répondre ainsi, sans même paraître contrit! Il fallait vraiment toute la sagesse de l'Esprit en Marie pour accepter de s'ouvrir à autre chose qu'à ce à quoi une mère peut s'attendre de son fils. Mais ce n'est pas fini : les gens du village ont dû trouver drôle que ce jeune homme — que l'on se représente le plus beau des enfants des hommes — ne jette pas son dévolu sur une jeune fille pour se marier. Il est vrai, Jésus s'adonnait tellement à l'étude des Écritures : on pouvait supposer qu'il choisisse une autre destinée. Marie, elle non plus, ne pouvait pas deviner qu'un jour son grand Fils, au lieu de se marier et partir fonder un foyer, irait sur les routes de Galilée avec les douze apôtres fonder cet autre foyer qui est devenu l'Église.

Cette sagesse de Marie acceptant de ne pas savoir ce que l'avenir réserve, me parle à travers une statue de la Vierge que j'ai sur une des étagères de ma bibliothèque. Rien de comparable, bien sûr, avec la splendeur de la Vierge « Trône de la Sagesse » à Notre-Dame de Paris. C'est une petite statue en bois clair d'olivier, magnifiquement sculptée par une petite sœur de Bethléem, à l'île de Lérins (que cette religieuse ait été inspirée par l'esprit d'enfance de Bethléem et Nazareth, ne m'est pas indifférent). Bref, cette statuette, je l'aime parce qu'elle est belle et touchante de grâce et de naïveté, parce que son regard pénétrant est d'une rare douceur, parce que son attitude est celle de la disponibilité, parce qu'elle respire la sérénité à laquelle j'aspire, parce qu'elle est là, non pas avec son bébé comme si souvent, mais avec son grand garçon, à qui l'on donnerait bien douze ans. Et ce qui est assez rare dans l'iconographie mariale, il ressemble à sa maman. Ainsi, cette statuette m'a fait découvrir que Dieu a pu ressembler à sa mère, que Dieu peut ressembler à la Femme éternelle, que Dieu a eu sur terre cette sagesse.

Je l'aime, cette statuette – que j'ai baptisée Notre-Dame de la Sérénité –, pour sa stature de femme debout. Elle tient serré, très serré contre elle dans un geste de discrète tendresse, son Fils qu'elle prend par le cou. Et de l'autre côté, non moins serrée, elle tient une cruche. Et je me dis : « Cette cruche, c'est moi! Car je me sens dans une telle impuissance à soulager tant de souffrances, à être disponible pour tant de gens qui me sollicitent..., à répondre aux questions qui me dépassent! Mais pourquoi s'inquiéter pour tant de choses qui passeront, alors que la sérénité, elle, ne passera pas, fruit qu'elle est de la Sagesse éternelle? Loin de me désoler, je me dis : Ne suis-je pas blotti en Dieu comme cet Enfant-Christ serré contre sa mère! Et je me dis encore et surtout : La cruche est faite pour contenir et déverser l'eau vive jaillissante en vie éternelle. De quoi me plaindrais-je d'être cruche? Chacun n'est-il pas invité à rendre grâce de puiser un peu de sagesse dans la glaise de son existence personnelle et les boues de la source, là où l'eau émerge des gadoues du monde? »

« Seigneur, Toi dont l'humanité a pris source en Marie, j'aime pour une fois prier en Toi Celui qui fut un garçon de douze ans dont le nom répondait à celui de Jésus. Nom qui est au-dessus de tout nom. Et pourtant un nom parmi ceux de bien d'autres enfants de son âge qui, eux, s'appelaient Samuel, Lévi, David...

« Veille à ce que jamais la grâce de mes douze ans ne soit souillée. Dans les profondeurs d'une innocence oubliée de la lointaine enfance, atteins en moi ce lieu d'origine où la source de la Sagesse surgit en fontaine d'éternité.

« Ne permets pas que la mélancolie de vivre et les vicissitudes de toute destinée finissent par assécher la sérénité. »

FIDÉLITÉ

« *J'habiterai ton nom* »

Une aventure à haut risque

Sébastien, je l'ai connu tout gamin. Il vient aujourd'hui
me trouver en vue de son mariage que je dois célébrer.
Il a reçu la meilleure éducation chrétienne que l'on puisse
rêver, tant au sein de sa famille ouverte et convaincue
que dans la communauté de jeunes à laquelle il a appar-
tenu. Cela ne l'a pas empêché de laisser tomber toute
pratique religieuse. Qu'à cela ne tienne! Les semailles
d'Évangile ont fait souche. Il veut faire un mariage
sérieux, réussi, où Dieu soit présent. Ses grands yeux
noirs cherchent dans mon regard une lumière qui vienne
d'autre part que de paroles préfabriquées. Adulte, il l'est.
Professionnellement, il a de l'abattage. Personnellement,
je le sens fragile, inquiet devant l'avenir. De nos jours,
il n'est plus évident de vivre toute sa vie avec la même
femme, le même homme. Qu'on le veuille ou non, le
spectre de tant de divorces couvre de son ombre l'espoir
de rester fidèle. Relevant d'un geste nerveux la longue
mèche de cheveux qui lui tombe sur les yeux comme au
temps de son enfance, il me dit d'un air songeur : « On

me demande de promettre fidélité. D'accord. C'est bien ce que je souhaite. Mais comment m'engager à l'être devant l'inconnu? Je ne sais pas comment je vais évoluer, elle non plus. Je ne peux rien garantir! Je ferai mon possible! »

Je veux simplement souligner ici cette marque de sincérité, d'honnêteté qui caractérise une bonne part de la mentalité d'aujourd'hui. Finalement, comment affronter « cette peur du lendemain »? Bien sûr, le sacrement de mariage est porteur de la grâce. On peut donc faire confiance, mais le sacrement n'est pas une assurance tous risques. Il restera toujours que la fidélité est une aventure à haut risque, de longue durée. La vie use. Pas seulement les couples. La fidélité, c'est l'affaire de toute vie... selon la destinée de chacun.

FIDÉLITÉ PAR RAPPORT À SOI-MÊME

Valeurs et vertus

Dans le remous des jours et de tant de vies à la dérive, la sérénité s'amarre solidement à la fidélité. Pour sauver la fidélité, commençons par l'aimer. L'aimer non pas simplement par devoir.

Fidélité! Valeur sûre. Plus exactement vertu. Force qui permet de tenir bon. Tenir à soi. Tenir aux autres. Tenir à Dieu.

Fidélité! Attribut de Dieu. Mieux, elle est Dieu. Nom de Dieu. Dieu habite son nom. Parfaitement, Dieu seul est fidèle.

Fidélité! Dignité de l'homme. Honneur de l'homme. « Faveur d'être », dit Saint-John Perse. Je dis : Ferveur

213

d'être. Ardeur à durer dans la beauté de ce que l'on a pu découvrir au temps de sa jeunesse.

Fidélité! Joie intime de s'accorder avec soi-même. Joie de l'adéquation entre ce que l'on dit et ce que l'on essaie de faire. Persévérance dans la cohérence de ses convictions, la logique de ses options fondamentales, le tracé de sa vocation.

Fidélité! Réverbération de la clarté de l'être. Lumière qui filtre comme le scintillement du soleil sur la mer. Mais le rayonnement vient d'ailleurs, du meilleur de soi-même, du tréfonds mystérieux de la personne humaine, là où Dieu établit sa demeure puisque nous sommes temples de l'Esprit. C'est à ce niveau que se trouvent les fondations de la fidélité.

Fidélité! En amitié, Joie! Fidélité quand tout craque autour de soi, courage! Fidélité foncière malgré tant d'infidélités passagères, c'est la condition humaine.

Fidélité! Feu sacré, braise de vie. Fidélité! Flamme sans cesse ranimée, embrasement de nos vies dans la passion d'aimer. Sans amour, la fidélité n'est que « régularité ». Sous les cendres de journées passées à ne faire que ce qu'il faut faire, se camouflent les pièges de la médiocrité. Celui qui se croit régulier peut n'être qu'un abonné à la passivité et non pas adonné à la fidélité créatrice, toujours à renouveler dans le courage de la banalité.

Fidélité! Elle est la marque de l'homme de qualité. Ne pas la confondre avec la mentalité du « fonctionnaire » (au sens péjoratif du terme) résigné à la routine, falot de l'habitude.

Le moine, par exemple, mais aussi le prêtre savent bien de quoi je parle quand j'évoque ces traquenards. Le moine venu à l'office, de matines à complies, qu'a-t-il accompli en lui, en Dieu, pour les autres? Il peut être un authentique contemplatif dont la place dans l'Église est irremplaçable, mais aussi un « planqué » fuyant les difficultés du monde. Et qu'en est-il de sa fidélité au célibat? Est-elle morne observance de l'abstinence de la chair (auquel cas ce n'est pas, comme dit Baudelaire, « la chair qui est triste » mais bien la continence elle-même), ou bien est-elle équilibre de vie, amour transcendé, éclatant d'humanité chaleureuse, propre... et joyeuse, élégance avec laquelle on sait sourire dans le dérisoire de l'existence.

La fidélité n'est pas la loi morale inscrite au-dessus de ma tête dans le ciel étoilé, comme si elle planait dans une transcendance éthérée. Elle m'est plus intime à moi-même que moi-même. Elle me structure. Elle m'accomplit en plénitude. Elle fait de moi ce que Dieu veut faire de moi, ce que je dois être pour vivre dans la sérénité. La fidélité est une réalité à deux faces. Je la vis objectivement en fonction de mes engagements vis-à-vis d'autrui, de la société et de l'Église, et subjectivement, personnellement dans ce domaine réservé du moi caché. Ma fidélité ne regarde que moi. Même pas! Car je ne sais pas me voir comme Dieu me voit. Je ne peux que dire : ma fidélité, elle ne regarde que Lui, mon Dieu. Connu de Lui comme je ne suis pas connu de moi-même. Moi-même mystère à moi-même, plus obscur que Dieu m'est mystère. Mon Dieu et mon juge! Le seul juge qui ait le jugement de l'amour. La fidélité en accord avec moi-même reste mon secret. Elle ne saurait se confondre avec ce que les institutions pourraient exiger indûment de moi. Elle ne saurait se réduire au petit format de l'image que les autres veulent avoir de moi. L'image que je crois devoir me composer pour ne pas décevoir, paraître bien, donner un bon témoignage. (Que d'ambiguïté, le témoignage! Et à quelles hypocrisies, à quelles vanités il peut mener!)

Cela dit, notre jardin secret n'est pas un cocon où le « moi » pourrait se complaire dans un égocentrisme étouffant. La fidélité par rapport à soi-même s'épanouit, s'authentifie, se vérifie par la fidélité que l'on a par rapport aux autres et à Dieu. La fidélité se vit selon trois dimensions : « Moi – les autres – Dieu » : une seule fidélité parce qu'un seul amour, parce qu'un seul Commandement. Trahir mon prochain, trahir Dieu, c'est toujours de quelque façon me trahir moi-même. Et réciproquement, me trahir moi-même, c'est toujours, même invisiblement et d'une certaine manière, trahir les autres, trahir Dieu. C'est dire que la fidélité prend toute la vie. Pour un chrétien, elle suppose donc un engagement total dans la foi, l'espérance et l'amour.

• *Pas de fidélité sans la foi.* La fidélité requiert prudence et vigilance devant ce qui peut nous attendre, nous surprendre dans une vie. L'inconnu de l'avenir ne doit pas nous faire sombrer dans la peur des risques qui menacent la fidélité. Si la fidélité crée un climat de sérénité, la sérénité elle-même conforte la fidélité, dans la mesure où l'on fait confiance à Dieu, mais aussi à soi-même, modestement, sans présomption. « Ma grâce te suffit! » fait comprendre le Christ à Paul. Sous-entendu : « Mais à toi de faire le nécessaire...! » Dieu ne se substitue pas à l'homme.

• *Pas de fidélité sans espérance.* La fidélité requiert endurance et persévérance. Autant dire qu'elle a le désir, mais aussi la volonté de durer. Elle est stimulée par le projet de vie que l'on cherche à réaliser. Elle est tendue vers les buts que l'on se donne et soutenue par les valeurs auxquelles on adhère.

● *Pas de fidélité sans amour.* La fidélité requiert avant tout l'amour, car c'est lui surtout qui la motive, c'est lui sa raison suprême. Enfin, n'exagérons rien... L'homme droit qui agit seulement sous la motion du devoir demeure également fidèle à la loi morale, mais avec quel visage? L'amour donne à la fidélité son sourire. Un fidèle triste est un triste fidèle. L'amour rend la fidélité joyeuse. Mais plus d'un chrétien aujourd'hui a l'impression que, sous couvert d'amour, on brade un peu trop les exigences de la fidélité qui, précisément, impliquent le sens du devoir. La fidélité est disciplinée. Elle a besoin de balises.

Repères et critères

Un certain dimanche, j'avais abordé – en dix minutes! – dans mon homélie, un sujet plutôt chaud sinon brûlant : le sens, la spécificité évangélique de la morale chrétienne. Tant bien que mal, j'avais tenté de mettre en lumière le fait qu'elle n'était pas un ensemble de principes aveugles, météores tombés du ciel sur des gens parfaits. Elle est la révélation des exigences d'amour du Christ dans un monde qui baigne dans le mal, pour des pécheurs à sauver... Donc une morale en prise directe sur la vie, tenant compte des personnes, des cas de conscience, des situations inextricables, des mentalités. Une morale non pour condamner mais pour aider à vivre du mieux possible. Une morale inscrivant dans les faits le primat de la miséricorde, demandant de ne pas juger son prochain! Pour illustrer ce message évangélique, j'avais évoqué le problème que pose aux parents la « cohabitation juvénile ». Devant les faits accomplis, quelle attitude adopter? Ne pas approuver ne doit pas mener à rejeter ses enfants. Sous prétexte de

217

respecter les intransigeances de la morale, à quoi cela servirait-il de couper les ponts?

A la sortie de la messe, une femme m'accroche : « C'est bien ça, vous les prêtres, vous dites *amen* à tout ce que font les jeunes, vous laissez tout faire, tout va à vau-l'eau! Permissivité en tous domaines! Vous ne nous donnez plus de repères! D'ailleurs, il n'y a plus de repères! »

Je sentais cette femme très désemparée. Comme beaucoup, elle était douloureusement atteinte dans sa fidélité à des valeurs, à des principes qui peuvent paraître périmés. Je lui proposai donc que l'on se revoie un moment dans la semaine pour prendre le temps d'en parler posément. Voici ce que j'ai essayé de lui dire : « De qui tenez-vous que les repères ont disparu? Qui vous l'a dit? Que je sache, l'Église n'a pas frappé d'annulation les Commandements de Dieu! Et les Béatitudes? Elles sont loin d'être en date de péremption! Et l'Évangile? Toujours actuel! Les voilà les vrais repères! Certes, je l'admets, depuis le concile Vatican II des réformes et modifications ont changé quelque chose aux habitudes ancestrales des chrétiens : moins de rigueur au plan d'une certaine discipline, mais quelle belle vigueur chez les chrétiens convaincus! L'essentiel de la foi demeure. La fidélité a toujours la même valeur. Ce qui change, c'est le monde, les circonstances et nous-mêmes. Ne confondez pas les balises anciennes qu'étaient certaines obligations qui vous précisaient " Faites ci, faites ça ", avec les vrais repères. »

« Ne prenez pas les prêtres pour des gendarmes de la religion. N'attendez pas d'eux qu'ils vous délivrent le permis qui serait au point... pour vous dire en toutes choses ce qu'il faut faire. Les prêtres sont des éveilleurs d'absolu, l'écho sonore de l'Évangile. A vous d'inventer votre fidélité à travers ces repères que je viens de citer, l'Évangile, les Béatitudes, l'amour des autres, la prière personnelle. Ces repères objectifs vont de pair avec les critères subjectifs qui sont en vous. Critères intérieurs! »

• *Liberté de conscience* éclairée par la lumière de l'Évangile : ne louchez pas sur votre voisin pour savoir ce que vous avez à vivre, vous, pour être fidèle à ce que vous êtes.

• *Sens de sa responsabilité propre,* illuminée par ce que j'appellerai le « laisser-aller à » l'Esprit, je veux dire docilité à Celui qui inspire l'amour vrai. Comment ne pas citer encore saint Augustin : « Aime et fais ce que tu veux! » Cela non pour agir n'importe comment, bien sûr, mais pour agrandir les possibilités de sa liberté selon ce que dit saint Jacques : « Parlez et agissez comme des personnes devant être jugées sur une loi de liberté » (Jc 2, 12). En définitive, le critère de ces repères : être adulte dans la foi, connaître la sérénité de vivre la fidélité de manière complémentaire : observer les commandements et vivre dans la gratuité de l'amour.

Cette complémentarité, l'hébreu la met bien en valeur en développant les deux racines de ce mot fidélité. *Emet* se rapporte à la vérité d'être, au droit, à l'homme droit qui tient parole. Fidélité que chantent les psaumes à propos de l'homme juste, l'honnête homme qui observe la loi, accomplit son devoir, n'emprunte pas la voie tortueuse des tordus que sont les impies. *Hesed* met en lumière ce que l'on accomplit non par obligation, mais par amour.

Le droit et l'amour! Voilà ce que signifie cette parole de Saint-John Perse : « Fidélité, j'habiterai ton nom! » Fidélité! Je serai ce que tu es, oui, le droit et l'amour. L'amour droit!

Du droit strict à la gratuité de l'amour

La fidélité se vit de manière contractuelle. Sans la fidélité, la vie en société serait intenable. Elle gouverne les rapports humains. Elle est au cœur de la dynamique des droits et des devoirs que nous avons les uns vis-à-vis des autres. Elle se concrétise par les engagements mutuels que nous avons à tenir, les lois à appliquer, les traités à honorer. Elle se vit dans la confiance de l'homme à qui l'on peut se fier. La fidélité que j'espère trouver en l'autre repose sur la foi que j'ai en lui. La fidélité ne se contente pas seulement d'exécuter ce que nous devons faire, ce qu'autrui est en droit d'attendre de nous. Elle n'est pas prisonnière d'un code qui aurait tout prévu. Elle est inventive, elle procède de l'amour. Parce que l'amour est sans limites, on n'en a jamais fini avec la fidélité. Elle peut demander telle ou telle chose au-delà de ce qui est exigé normalement. Le champ de la fidélité est le royaume de la gratuité de l'amour. Exemple : un ami en difficulté vous demande de lui prêter de l'argent. Vous lui dites : bien sûr! Il compte sur vous et — parce que finalement vous craignez de ne pas être remboursé — vous lui dites : non. Vous n'étiez pas forcé de lui prêter cet argent, donc ce désistement, ce « manquement » n'est pas une faute en soi mais, dans votre relation personnelle avec lui, vous l'avez déçu, peiné. Vous avez trompé son attente. Ce manque de générosité, cela aussi relève de l'infidélité.

En clair, la fidélité n'est donc pas seulement une

question d'« obligation ». Elle va aussi loin que va l'amour. L'Évangile nous le révèle à propos de l'amour du prochain dans la fameuse tirade où Jésus dit : « J'étais malade et vous m'avez visité, etc. » Ne pas visiter un malade, en soi ce n'est pas un péché, mais quand l'amour vous y inciterait et que vous le laissez seul, c'est en quelque sorte une infidélité vis-à-vis de cette personne délaissée, mais aussi vis-à-vis de Dieu : « Tout ce que vous faites ou ne faites pas à l'un de ces petits, c'est à Moi que vous le faites ou ne le faites pas. » Sur cette parole du Christ se fonde le péché par insouciance, par aveuglement, par omission.

Du mystère à la mystique

Quel que soit l'état de vie — mariés ou veufs, célibataires volontaires ou contraints, prêtres, religieux — tous les baptisés, selon leur vocation propre, ont à vivre la fidélité à l'image de celle de Dieu révélée par son amour inébranlable dans le mystère de son Alliance avec nous. La fidélité conjugale, quant à elle, manifeste ce mystère d'amour fou, avec une différence essentielle. En effet, l'union d'un homme et d'une femme dans les liens d'un amour charnel, au sein d'une relation de personne à personne, n'est pas du même ordre que cette union mystique de Dieu avec l'humanité, qui est une collectivité. Quoi qu'il en soit, c'est bien ce mystère de l'alliance divine que rien ne peut briser qui justifie mystiquement le caractère spécifique de la fidélité conjugale chrétienne : son indissolubilité. Essayons de mieux comprendre, d'autant que la lumière projetée par cette vision des choses est source de sérénité dans la foi.

Le sacrement de mariage ne se contente pas de communiquer la grâce de la fidélité conjugale. Il confère également aux époux chrétiens la mission de témoigner du caractère indéfectible de l'Alliance de Dieu avec l'humanité, par la qualité de leur amour indestructible. Je conçois aisément que cette « mystique » issue de la théologie de saint Paul paraisse de la haute voltige spirituelle. Elle est à cent coudées au-dessus de la tête du commun des mortels. Et même un défi au bon sens : on ne se marie pas pour être témoin d'un Mystère! L'homme et la femme s'épousent pour fonder un foyer (et les femmes singulièrement pour être mères!). Quoi de plus naturel! Le surnaturel chrétien veut bien aller jusqu'à admettre que le sacrement de mariage est signe efficace de la présence de Dieu au cœur de l'amour du couple, mais de là à se prendre pour les « représentants » de l'Alliance de Dieu avec les hommes, il y a une sacrée marge!

Ce mystère est grand, proclame saint Paul. Mystère de la foi que célèbre l'eucharistie et que le mariage – dans son ordre – actualise concrètement dans la vie quotidienne. Le lien entre ces deux sacrements – Eucharistie et Mariage – n'est pas de simple convenance. Ils forment un couple inséparable. Le jeudi saint, à la Cène, ce qu'a fait le Christ en se livrant corps et âme dans le don de sa personne, les époux chrétiens, eux, toutes proportions gardées, le reproduisent par leur vie en se livrant corps et âme dans le don mutuel de leur personne. Ce que le Christ a dit à ses apôtres : « Faites ceci en mémoire de moi », il le dit aujourd'hui d'une autre façon : « Époux chrétiens, faites ceci en mémoire de moi! » Quoi ceci? C'est comme si Jésus disait : « Faites de votre fidélité conjugale à toute épreuve une eucharistie vivante! Qu'elle soit présence réelle et réaliste de mon alliance inaltérable! Dans un monde où le divorce se banalise, soyez la mémoire vivante de mon amour qui ne lâche jamais, qui ne lâchera jamais au pire de vos lâchetés! Faites de votre fidélité inlassable mais vulnérable, l'image de ma fidélité incassable! Rendez-la désirable par votre amour adorable! Rendez-la crédible, ainsi il sera peut-être visible que mon alliance est vraiment éternelle dans la mesure où l'on trouvera sur terre des " fidèles " qui la rendent actuelle. Au cœur de vos infidélités inévitables dues à la fragilité humaine, au milieu de vos lâchages, que votre fidélité soit sans relâche : il ne tient qu'à vous de manifester que Dieu tient à nous. » Sublime mystique! Qui peut atteindre de telles hauteurs!

Aristote définit l'homme comme « animal raisonnable ». Oui, nous sommes des mammifères, certes mammifères spirituels de l'espèce merveilleusement humaine... mais mammifères! Ainsi, les humains ont d'abord besoin, viscéralement, d'un bonheur que j'appellerai « biologique » : trouver un sens à leur existence au niveau des actes les plus fondamentaux de l'animalité la plus profonde — engendrer, se perpétuer et par là, inconsciemment, exorciser l'absurde, le néant, la mort, la peur de se retrouver seul. Pour autant, faut-il en rester à ces seules considérations et taire l'absolu? Opérer un nivellement par la base? Certainement pas. Aussi, à l'intention des volontaires désireux d'approfondir cette spiritualité du mariage chrétien et tendre vers la sérénité qui nous sera révélée dans l'au-delà, il me semble qu'une mise au point ne serait pas mal venue...

De la fleur au fruit

« Il suffit d'aimer! » Voilà un beau cliché. « L'amour endure tout, excuse tout », affirme saint Paul. Sans doute vrai aussi... en théorie! En pratique, le nombre de couples qui divorcent, incapables de se supporter dans la vie quotidienne tout en reconnaissant s'aimer vraiment, va à l'encontre de ces beaux principes. L'amour est condition nécessaire du mariage, mais non pas suffisante. L'union des époux, c'est avant tout un « vivre ensemble » dans l'érosion des jours. L'épreuve de la routine avec les gestes qui rapprochent mais aussi les manies qui agacent, peut finir par devenir mortelle. Elle exige une sagesse qui ne relève pas que de l'amour.

La fidélité conjugale, fruit de la grâce de Dieu, exige pour mûrir au soleil de la joie des conditions climatiques bien précises.

• *Pouvoir s'entendre* à ce niveau de l'être où le cœur a ses raisons que la tendresse connaît bien. Comment tendre vers une communication la plus parfaite possible sans sombrer dans l'illusion que les psychologues appellent « la nostalgie fusionnelle », c'est-à-dire l'aspiration à une communion sans faille? Le fameux : « Ils ne feront qu'un en une seule chair » de la Genèse ne doit pas amener à penser que l'union des époux est confusion. Heureusement, chaque conjoint demeure autonome, irréductible à l'autre. Chaque personne étant unique, il est inévitable qu'il y ait un aspect d'elle-même sans correspondance absolument adéquate à l'autre. Il ne faut pas demander l'impossible : l'unité parfaite n'existe qu'en Dieu.

Est-ce une raison pour verser dans le pessimisme, se réserver un petit quant-à-soi, laissant le conjoint à la porte de ce que l'on pourrait juger être hors de sa pauvre portée? Certainement pas, car s'entendre c'est tendre à toujours mieux s'accorder avec l'être aimé, et par conséquent le laisser entrer jusqu'à la pointe la plus fine de soi-même. S'entendre, c'est s'ouvrir à lui pour que lui devienne plus ouvert.

Simone de Beauvoir, dans *La force de l'âge,* écrivait : « Je trichais quand je disais : on ne fait qu'un entre deux individus, l'harmonie n'est jamais donnée, elle doit indéfiniment se conquérir. » Ce à quoi répondait Jean-Paul Sartre, dans ses *Lettres au Castor :* « Mais il est une chose qui ne change point, qui ne peut changer, c'est que, quoi qu'il arrive et quoi que je devienne, je le deviendrai avec vous. » Si je cite ces deux auteurs, ce n'est point dans l'intention de les présenter comme couple modèle. La question n'est pas là et je n'ai pas à juger la façon dont l'un et l'autre ont mené leur vie, chacun de leur côté, comme bon leur semblait. Simplement, je trouve ce dialogue très beau. Il exprime — au moins en théorie — ce qui est requis pour tout couple désireux de construire un « devenir ensemble » avec cette chance de sérénité qui repose sur le respect des différences.

• *Respect des différences!* Un lieu commun, bien sûr! Mieux vaut peut-être se demander à propos du couple : « Que faire pour respecter cette différence? » Des concessions? Surtout pas. Ce mot de concession sent le cimetière! Faut-il que les gens mariés, sous prétexte de vivre sous le même toit, creusent leur tombe en se faisant des concessions à perpétuité? Je préfère dire : pas de concessions, mais soyez conciliants. Ce mot de concession, pour moi, sous-entend que l'on est contraint et forcé de jeter du lest en se sacrifiant un peu à contrecœur. En somme, davantage par égoïsme et pour avoir la paix que par amour pour l'autre. Au contraire, j'aime ce mot de conciliant. Il suggère que l'on finit — à un moment ou à un autre — par s'entendre pour offrir joyeusement à l'autre ce qui lui fait plaisir. Être contraint de faire des concessions fait grincer des dents, tandis que se montrer conciliant favorise ce genre de sourires dont le dernier pli s'achève dans un baiser. Ne faut-il pas avoir cultivé l'art d'être conciliant pour être capable – le jour où les difficultés surviennent – de se réconcilier?

• *Liberté chérie.* Le respect de la différence de l'autre va aussi loin que s'étend sa liberté. J'aime dire aux époux, lorsque je célèbre un mariage : « Soyez suffisamment fous l'un de l'autre pour oser vous dire l'un à l'autre : Je t'aime assez pour ne pas me réserver un domaine qui te serait interdit. Je t'aime trop pour ne pas te donner les clefs de mon jardin intérieur car, si je les gardais par-devers moi, je risquerais de me murer en moi-même. En te les donnant, je le sais, tu ne profiteras pas de ma confiance pour me posséder! Je crois trop en ton amour pour ne pas accepter que ce soit toi le veilleur de ma liberté! » Et je termine, en guise de vœux, par ces paroles sublimes de Saint-John Perse :

> « Tu es là mon amour
> et je n'ai lieu qu'en toi
> J'élèverai vers toi la source de mon être
> et la grandeur en moi d'aimer
> t'enseignera peut-être la grâce d'être aimé. »

Amers

Voilà ce qui nourrit la fidélité conjugale, ce qui lui assure, autant qu'on peut l'assurer, un avenir prometteur, car la fidélité naît comme une fleur avant le fruit. Elle n'est, d'abord, que promesse...

226

Fidélité dans l'Église, fidélité à l'Église

Dans l'Église catholique, le terme de « fidèle » désigne la plupart du temps les « pratiquants » : ceux qui participent aux assemblées liturgiques, vont à la messe, reçoivent les sacrements. Sous toutes ses formes, la prière — qu'elle soit vécue en commun ou personnellement dans le secret de sa chambre, selon la distinction bien connue de l'Évangile — est une des marques de fidélité à Dieu. Celle-ci ne saurait pour autant se réduire au culte, à une catégorie de « bons » chrétiens (ou du moins catalogués comme tels). « Ce ne sont pas ceux qui disent : Seigneur! Seigneur! qui entreront dans le Royaume de Dieu, note l'Évangile, mais ceux qui, fidèles à sa Parole, la mettent en pratique! » A cet égard, il n'est pas évident que les pratiquants de la messe du dimanche soient les pratiquants... de la charité en semaine! On connaît le reproche : « Ils ne sont pas meilleurs que les autres! » Sans doute. Mais c'est facile de se dédouaner ainsi de ne pas pratiquer!

La pratique religieuse est loin d'être le seul critère de la fidélité à Dieu. On le sait, de plus en plus nombreux sont les chrétiens non pratiquants qui, dans la sincérité de leur cœur, vivent une authentique relation avec Dieu. Mais la « bonne foi » n'est pas elle non plus le seul critère de la foi chrétienne. La pratique religieuse bien vécue, bien comprise, témoigne d'un sens de l'Église qui se fonde sur ce que Dieu lui-même désire pour que nous puissions le rencontrer dans son dessein d'amour, tel qu'Il l'a prévu. De même que l'enfant a besoin de sa famille

227

pour être « élevé comme il faut », de même le chrétien a besoin de l'Église pour être « élevé » dans sa foi en Dieu « comme il faut ».

Je n'abuserai cependant pas de ces images : l'Église-Famille, l'Église-Mère. Elles peuvent être ambiguës et récupérées pour faire admettre ce qui n'est pas toujours admissible. Mais je suis bien obligé de reconnaître que l'Église est le lieu de rendez-vous que Dieu nous donne pour que nous puissions ne pas nous faire d'illusions, vivre avec Lui et de Lui à travers les signes de sa présence invisible qu'il nous donne dans les sacrements. Cela selon la volonté même de Dieu exprimée par le Christ qui a fondé l'Église. Que ça nous plaise ou pas, on n'y échappera pas : l'Église est le lieu de notre fidélité à Dieu.

Fidélité rime avec docilité. Mais tout n'est pas dit... Obéissance, oui. A condition de ne pas réduire l'Église catholique à sa hiérarchie, au pape et aux évêques. L'obéissance de la foi dont parle saint Paul ne se cantonne pas à observer une discipline. L'Église, à sa tête, n'est pas dirigée comme les sociétés humaines par un éminent P-DG et des super-patrons. Avant tout elle est animée par ses membres qui lui donnent sans cesse naissance. C'est le baptême qui engendre mystiquement le corps du Christ dans cette totalité concrète que l'on appelle le peuple de Dieu, réparti sur toute la terre. Dans cette intelligence de la foi, la docilité à l'Église s'exprime par l'obéissance à l'Esprit saint. C'est lui qui inspire à la base le peuple de Dieu afin que les baptisés prennent les initiatives qui s'imposent pour stimuler la tête de l'Église et faire progresser le corps du Christ tout entier.

Fidélité rime avec maturité. Pour vivre dans la sérénité certaines tensions qui peuvent survenir entre la tête et les membres, l'autorité dirigeante et la vie à la base, la parole du premier pape, saint Pierre, me paraît toujours valable : « Mieux vaut obéir à Dieu qu'aux hommes. » Il peut arriver que des « hommes d'Église » – attention, je ne dis pas : agissent de manière trop humaine, mais au contraire – manquent d'humanité chaleureuse en exigeant l'observance de principes inapplicables (je pense aux divorcés remariés, à la contraception, à des chrétiens dans des situations morales inextricables). Dans ces cas, les chrétiens sont renvoyés à leur conscience pour vivre comme ils le peuvent leur fidélité à Dieu. Et si l'Église les empêche de vivre, si l'Église est impossible pour eux, à ces chrétiens d'en tirer les conséquences dans la sérénité d'un amour authentique. « Là où est l'amour... Dieu est. » Bien entendu, cela dit non pour inciter à la facilité ou à la subversion.

Fidélité rime avec solidarité. Solidarité avec le corps auquel vitalement les baptisés appartiennent, mais non point pour stagner. Il s'agit d'œuvrer pour lui permettre d'affronter l'avenir. Ainsi, on peut être en désaccord avec l'autorité sur un ou plusieurs points sans pour autant, comme on dit, « jeter le bébé avec l'eau du bain », et en définitive se couper d'elle. Solidarité avec la tête veut dire continuer à faire ce pour quoi est faite une tête qui a une bouche : se parler, dialoguer en tout état de cause. Solidarité avec la tête mais aussi avec les membres les plus souffrants, les plus démunis, les plus exclus. De cette solidarité, plus d'un théologien a magnifiquement témoigné. Plus d'un aussi a été « crossé ».

Mais on ne peut pas être à la fois prédicateur et imprécateur. Le détracteur systématique de l'autorité ne peut faire grandir l'Église.

Pour vivre dans la sérénité par rapport à l'autorité, il ne faut pas attendre d'elle ce qu'elle ne peut être, ce qu'elle ne peut pas donner. Le pape et les évêques sont par état les gardiens assermentés de l'institution. Ils ne peuvent pas être en même temps des prophètes qui vont de l'avant, sauf bien sûr quelques exceptions qui en général le paient assez cher. L'accueil de la vie, en ce qu'elle a de provocant pour des structures bien établies, ne peut pas être le charisme de ceux qui sont ordonnés pour les défendre. Il est réservé à d'autres. Et c'est tant mieux : tout le monde ne peut pas tout faire dans l'Église. Saint Paul s'en est expliqué.

Fidélité rime avec humilité. Il faut admettre que l'autorité ne puisse pas tout faire, avoir assez d'amour pour l'Église, assez de modestie pour reconnaître ce que nous sommes nous-mêmes : des êtres limités. Acceptons que les évêques gèrent ce que les chrétiens digèrent à leur manière, comme ils le peuvent. A chacun son régime!

Fidélité dans l'amour, fidélité de l'amour

A bien y réfléchir, que mettons-nous sous ces mots de l'acte de charité que des générations de chrétiens ont récité à la prière du matin? « Mon Dieu, je vous aime de tout mon cœur et par-dessus toutes choses, parce que vous êtes infiniment bon, infiniment aimable. »

En quoi est-il bon? Il nous a créés à son image par pure libéralité. Merci, Seigneur, de nous faire le plus beau des cadeaux : la vie. Mais quelle vie nous réserves-tu? Quelle part de bonheur par rapport au malheur? De quelle bonté parle-t-on quand on voit une telle masse de souffrance s'abattre sur le monde?

En quoi est-il aimable? Il est parfait. Il a toutes les qualités. On ne cesse de lui faire des compliments dans nos prières. Mais suffit-il d'être le meilleur, d'avoir toutes les qualités pour être aimé? On n'aime pas les gens seulement pour ce qu'ils ont de bien, mais pour ce qu'ils sont eux-mêmes en tant qu'uniques. Il arrive même que des gens « très bien » soient très ennuyeux. Bref, l'amour suppose une attirance, une sympathie, une séduction, un charme. Charmant! Vous vous voyez dire cela à Dieu, Lui que la Liturgie ne cesse d'appeler le Tout-Puissant? Ce serait inconvenant, n'est-ce pas? En fait, être charmé par quelqu'un, au sens fort du terme, signifie être pris par lui, épris de lui.

Comment s'éprendre d'un Pur Esprit? Notre affectivité n'est pas immédiatement comblée, à moins de verser dans la sensiblerie. L'amour de Dieu, on le sait, n'est pas affaire de sentiment :

> « Si quelqu'un dit : " J'aime Dieu "
> et qu'il déteste son frère,
> c'est un menteur.
> Celui qui n'aime pas son frère qu'il voit
> ne saurait aimer le Dieu qu'il ne voit pas.
> Oui, voilà le Commandement que nous
> avons reçu de Lui :
> Celui qui aime Dieu aime aussi son frère. »

Jn 4, 20

• Dans une première approche, on peut donc dire : aimer Dieu, c'est aimer son prochain comme soi-même.

Dieu et l'homme : deux inséparables dans le même amour! Mais pas de confusion! Dieu demeure Dieu. L'homme demeure l'homme. Irréductibles l'un à l'autre. De la sorte, on ne peut réduire l'homme à n'être qu'un moyen d'aimer Dieu. Il serait odieux de penser que, pour aimer Dieu que je ne vois pas, je me serve de l'homme

231

que je vois. L'homme est toujours une fin en soi. Quand j'aime mon prochain animé par l'amour que je porte à Dieu, je n'en aime pas moins l'homme pour lui-même. Aimer l'autre de charité, c'est aimer l'autre pour lui-même. C'est aimer Dieu à travers lui. Dieu n'est pas l'alibi de l'homme. Dieu ne remplace pas l'homme. Une affection humaine ne se comble pas en prenant Dieu comme produit de remplacement.

Et puisque le Commandement suprême de l'Évangile nous ordonne : « Tu aimeras le Seigneur, ton Dieu, et ton prochain *comme* toi-même », il est clair que Dieu ne nous empêche pas de nous aimer personnellement, sinon ce serait un tyran castrateur. Être fidèle à Dieu, c'est honorer l'amour qu'il a pour moi en me reconnaissant aimé de Lui. Aimer Dieu pour Lui-même, c'est m'aimer comme Il m'aime, comme Il veut que je m'aime. Thème que j'ai suffisamment abordé dans mon livre *Accueillir* pour ne pas répéter ici ce que je crois si important pour vivre dans la sérénité de la foi. Je citerai seulement ces paroles d'un philosophe contemporain, Alain Finkelkraut : « Si je ne m'aime pas moi-même, qui le fera? Mais si je n'aime que moi, quel homme suis-je? »

A chacun, chacune, de répondre. Bien des gens se complaisent en eux-mêmes un peu trop facilement. Contents de leur douce médiocrité, ils baignent dans cette tiédeur dont Jésus a dit qu'elle lui provoquait des vomissements! D'autres au contraire sont perpétuellement insatisfaits, frustrés, grincheux, voire envieux de ce qu'ils ne peuvent être, jusqu'à être révoltés. Entre ce contentement de soi insouciant et ce « mal d'être », il y a un équilibre à trouver dans l'ouverture aux autres, car il va sans dire que l'amour de soi, dans cet esprit, n'a rien à voir avec l'égoïsme.

• Dans une deuxième approche, on peut donc dire : l'amour du prochain et de soi-même, bien vécu, nous permet non pas de subir les Commandements de Dieu comme un joug insupportable, mais de découvrir sa loi comme ce jardin de délices dont parle le psalmiste :

« Seigneur
Comme je l'aime ta loi!
J'en fais mon bonheur
Tu mets mon cœur au large
Fais-moi comprendre tes préceptes
Je cours sur la voie de tes Commandements.
Je médite sur tes merveilles.
Heureux ceux qui te cherchent ainsi! »

Ps 118

Jésus n'avait-il pas présentes à l'esprit et dans son cœur ces paroles, lorsque Lui-même déclara : « Celui qui garde mes Commandements, c'est celui-là qui m'aime » (Jn 14, 21). Voilà le fidèle! Est-ce à dire que je doive être trouvé constamment irréprochable? Impossible! Je suis pécheur par nature. Fidèle ne veut pas dire impeccable. Le fidèle marche sans se lasser pour se rapprocher le plus près possible de l'idéal de l'Évangile. Quand il tombe, il sait que Dieu peut le relever. Le chrétien est avant tout un fidèle du pardon.

On a tellement répété avec simplisme que le péché, c'est dire « non » à l'amour de Dieu, qu'il est temps de nuancer des affirmations aussi tranchées. Dans la vie, les choses ne se passent pas ainsi. Jusque dans la blessure de notre péché et sur la pente de nos penchants qui nous font glisser, on peut continuer à aimer Dieu d'un amour meurtri, certes, mais authentique et passionné. N'est-ce pas le témoignage que donne cette femme de l'Évangile, dénommée « la pécheresse ». Que dit d'elle Jésus? « Elle a beaucoup aimé. Il lui sera beaucoup pardonné. A qui l'on pardonne peu, montre peu d'amour » (Lc 7, 36-50). Par ces paroles, Jésus ne justifie évidemment pas le péché. Il s'en tient au seul message qu'il veut mettre en lumière à l'adresse des gens de grande vertu et au cœur sec, qui se croient des petits saints. Jésus sait discerner entre des actes objectivement répréhensibles du point de vue de la morale et une manière d'être qui, tout en étant marquée par le péché, demeure en « désir de Dieu ». L'amour que l'on a pour Dieu ne se juge pas seulement sur la rectitude morale mais sur la droiture du cœur. La fidélité à l'Évangile est plus large que la conformité aux impératifs stricts de la morale. L'amour que l'on a pour Dieu ne se juge pas sur un seul secteur de la vie. Ce n'est pas parce qu'il y a faute dans un domaine que tout l'être est soustrait à l'amour de Dieu.

Telle est la leçon que nous donne le premier pape, saint Pierre. Dans les larmes de son reniement, il demeure fidèle à cet amour qui l'attache au Christ. Sa fidélité, il l'exprime en croyant que Dieu, Lui, demeure toujours fidèle, prêt à pardonner. C'est la différence essentielle avec Judas. Reste alors à se demander : Comment vivre dans la sérénité le reste de ses jours quand on a manqué à une parole qui vous engageait pour toute la vie? Dilemme que connaissent par exemple bon nombre de divorcés remariés. Dans leur nouveau couple, ils vivent une fidélité édifiante, en conformité avec ce qu'ils sont en profondeur, et pourtant ils se sentent regardés par l'Église comme des infidèles puisque exclus par elle. Point question de minimiser la gravité de ces ruptures, mais point question non plus de culpabiliser des personnes qui, dans leur nouvel état de vie, vivent une autre fidélité. Là où il y a eu transgression — au cœur même de cette transgression et dans le secret du cœur de chacun —, la fidélité doit pouvoir revivre d'une autre manière. Ce qui compte au regard de Dieu, n'est-ce pas fondamentalement une cohérence de vie conforme à une orientation de départ qui, ayant bifurqué, se vit désormais autrement? Puisque l'Évangile révèle que le pardon de Dieu est infini, puisque le même Évangile proclamant la Béatitude de la Miséricorde nous enjoint de pardonner soixante-dix fois sept fois, puisque chaque eucharistie est célébrée pour la multitude « en rémission des péchés », l'Église pourra-t-elle encore longtemps tenir à une discipline qui engendre un « complexe d'infidélité » minant la sérénité?

Mais, au-delà de cette situation précise des divorcés remariés, d'une manière générale pour tout chrétien connaissant tant de divorces d'avec lui-même, on peut dire : « Là où le péché abonde, la grâce surabonde », comme nous assure saint Paul. Est-ce là une incitation au laxisme : « Pèche fortement et Dieu te comblera de sa grâce »? Évidemment non. La question est donc de savoir comment retrouver la possibilité de restaurer la fidélité dès lors que certaines ruptures sont irrémédiablement consommées. De son côté, saint Jean nous rassérène : « Si votre cœur vous accuse, Dieu est plus grand que votre cœur. » Autrement dit, mieux vaut regarder la fidélité de Dieu à notre égard à travers les signes qu'il nous donne dans notre vie que de regarder nos infidélités. Scrutons l'Évangile pour voir comment le Christ sauve et retrouvons dans nos vies ces signes du Salut. Faisons confiance à cette parole essentielle de Jésus : « Je suis venu chercher et sauver ce qui était perdu. » Compensons par la charité ce qui en nous est conséquence de nos infidélités. Là, c'est saint Pierre qui nous l'assure : « La charité couvre une multitude de péchés. » La charité! Non pas les aumônes — encore que! —, mais l'amour avec lequel on vit en toutes circonstances et de toutes manières. L'amour que nous essayons de vivre rejoint celui que Dieu vit en nous. Puisque Dieu en nous est Amour et Fidélité, du même coup Il nous permet de repartir restaurés et fidèles.

Forts de cet amour sauvé qui n'enferme pas la fidélité dans un légalisme, aimer Dieu n'est-ce pas alors et d'abord accueillir son amour tel qu'il est révélé dans saint Jean : comme un don! Comme Dieu Lui-même en personne :

> « Dieu est amour.
> En ceci consiste son amour.
> Ce n'est pas nous qui avons aimé Dieu,
> C'est Lui qui nous a aimés.
> Quant à nous, aimons
> Puisque Lui nous a aimés le *premier*. »

1 Jn 4, 8.10.19

Finale

EN TOUTE SÉRÉNITÉ

Sereinement
Laisse
Laisse l'Invisible imprimer en ton côté le plus vulnérable
Les traces de sa présence
Creuse
Creuse dans la glaise enfouie de tes soucis
Le puits où sommeille la source
Éveille ton âme au chant des ondes
Comme si elles devaient devenir sillage dans la mer
Alors sans même que tu le saches
En toi la sérénité sera au large

Silencieusement
Laisse
Laisse la rosée venir
A la frontière de ta nuit
Écoute
Écoute sans interrompre
Celui qui en ton abîme est l'écho de ton cri
Alors sans même que tu le saches
A travers toi la sérénité rayonnera

237

Adorablement
Laisse
Laisse faire en toi le travail du vide
De ce vide où Dieu repose,
Fidèle à la promesse du Septième jour,
Jaillira la fontaine d'eau vive
Alors sans même que tu le saches
L'Esprit avec toi renouvellera la face de la terre
Et ce sera à tout jamais
LA SÉRÉNITÉ.

TABLE DES MATIÈRES

Deuxième partie

TROIS TEMPS DE LA VIE

Troisième partie

TROIS GRÂCES

*Cet ouvrage
a été composé
et achevé d'imprimer
sur Roto-Page
en février 1993
par l'Imprimerie Floch
53100 — Mayenne.*

Dépôt légal : février 1993.
N° d'imprimeur : 33360.
N° d'éditeur : 1427.
Imprimé en France.